Le Fils du pauvre

Un village de la montagne kabyle au début du siècle. C'est là que vivent les Menrad. Ils ne font pas, comme on dit, « figures de pauvres ». Ils ne se rendent pas compte qu'ils sont pauvres. Ils sont comme les autres ; voilà tout. Dans ce livre, Mouloud Feraoun raconte sa propre histoire. Il était destiné à devenir berger, il a eu plus de chance que la plupart de ses camarades, il a pu étudier, conquérir un diplôme, sortir de la pauvreté. C'est comme pour s'excuser de cette chance qu'il a écrit *le Fils du pauvre*, qui est devenu dans l'Algérie d'aujourd'hui, à la lettre, un classique.

Né en 1913 à Tizi-Hibel, en Haute-Kabylie, Mouloud Feraoun est mort le 15 mars 1962, assassiné à El-Biar, près d'Alger, avec cinq de ses compagnons.

Outre le Fils du pauvre, *il a publié deux romans :* la Terre et le Sang *(Prix populiste 1953) et* Les chemins qui montent *ainsi que deux volumes d'essais. Son* Journal, 1955-1962, *document bouleversant sur la guerre d'Algérie, a eu un retentissement mondial.*

Du même auteur

AUX MÊMES ÉDITIONS

La terre et le sang, *roman*

Les chemins qui montent, *roman*

Journal, 1955-1962

Jours de Kabylie, *essais*
illustrations de Charles Brouty

Lettres à ses amis

L'anniversaire

AUX ÉDITIONS DE MINUIT

Les poèmes de Si-Mohand, *essai*

Mouloud Feraoun

Le Fils
du pauvre

roman

Éditions du Seuil

TEXTE INTÉGRAL

EN COUVERTURE : illustration Rozier-Gaudriault.

ISBN 2-02-006155-4
(ISBN 2-02-000834-3, 1re publication ;
ISBN 2-02-000476-3, 2e publication.)

© ÉDITION DU SEUIL, 1954.

résignation

Nous travaillerons pour les autres jusqu'à notre vieillesse et quand notre heure viendra, nous mourrons sans murmure et nous dirons dans l'autre monde que nous avons souffert, que nous avons pleuré, que nous avons vécu de longues années d'amertume, et Dieu aura pitié de nous...

A. TCHEKHOV.

I

MENRAD, *modeste instituteur du bled kabyle, vit « au milieu des aveugles ». Mais il ne veut pas se considérer comme roi. D'abord, il est pour la Démocratie ; ensuite, il a la ferme conviction qu'il n'est pas un génie.*

Pour aboutir à une opinion aussi désastreuse de lui-même, il lui a fallu plusieurs années. Cela ne diminue pas son mérite. Au contraire.

Dès ses premiers mois dans l'enseignement, après ses études, il confie à son journal — car il en a un — : « Lorsque je rentre en moi-même et que je considère ma situation en fonction de ma valeur, je conclus amèrement : je suis lésé, le manque de moyens est un obstacle bien perfide. Ma conclusion ne s'arrête pas là pourtant ! Puisque je me sens une intelligence si vive, avec les vieux livres et les vieux cahiers, rien ne dit que je n'irai pas loin... ». « C'est fait, la décision est prise, la réussite est certaine. A mesure que je savoure une étude élémentaire sur Ronsard et la Pléiade, ma décision s'affermit, l'examen à affronter devient plus accessible. »

Menrad était ambitieux. Il se moquait de son ambition. Il comprenait, le malheureux, que s'il cherchait trop à planer comme un aigle, il ne ferait que patauger davantage comme un canard.

Il se résigna donc à être simplement instituteur, dans un village comme celui qui l'avait vu naître, dans une école à une classe, au milieu de tous les paysans ses frères, supportant avec eux les tourments de l'existence, l'âme parfaitement calme et attendant, comme eux, avec un fatalisme indifférent et une certitude absolue — il le dit — le jour où il entrera au paradis de Mahomet.

Cette attitude, en tous points digne d'éloges, n'est pas celle d'un sceptique. Le pauvre Menrad est incapable de philosopher. Elle résulte du sentiment très net qu'il a de sa faiblesse. Après avoir renoncé aux examens, il a voulu écrire. Il a cru pouvoir écrire. Oh ! ce n'est ni de la poésie, ni une étude psychologique, ni même un roman d'aventures puisqu'il n'a pas d'imagination. Mais il a lu Montaigne et Rousseau, il a lu Daudet et Dickens (dans une traduction). Il voulait tout simplement, comme ces grands hommes, raconter sa propre histoire. Je vous disais qu'il était modeste ! Loin de sa pensée de se comparer à des génies ; il comptait seulement leur emprunter l'idée, « la sotte idée » de se peindre. Il considérait que s'il réussissait à faire quelque chose de cohérent, de complet, de lisible, il serait satisfait. Il croyait que sa vie valait la peine d'être connue, tout au moins de ses enfants et de ses petits-enfants. A la rigueur, il n'avait pas besoin de se faire imprimer. Il laisserait un manuscrit.

Il s'est mis au travail en 1939, au mois d'avril, pendant les vacances de Pâques. Heureux temps !

Devant les innombrables obstacles qui se dressent à chaque tournant de phrase, à chaque fin de paragraphe, devant les mots impropres, les tournures douteuses et les adjectifs insaisissables, il abandonne une entreprise au-dessus de ses forces, après avoir rempli un gros cahier d'écolier. Il abandonne sans esprit de retour, sans colère.

Dans sa classe, il y a un modeste bureau tout noir. Dans l'un des deux tiroirs, le chef-d'œuvre avorté gît aujourd'hui, oublié, entre un cahier de roulement et des fiches de préparation, comme *le cinquième œuf de la fauvette que l'oiseau et ses petits laissent dédaigneusement dans le nid inutile.*

Nul n'est maître de sa destinée, ô Dieu clément ! S'il est décidé là-haut que l'histoire de Menrad Fouroulou sera connue de tous, qui peut enfreindre ta loi ?

Tirons du tiroir de gauche le cahier d'écolier. Ouvrons-le. Fouroulou Menrad, nous t'écoutons.

II

LE TOURISTE qui ose pénétrer au cœur de la Kabylie admire
par conviction ou par devoir, des sites qu'il trouve mer-
veilleux, des paysages qui lui semblent pleins de poésie
et éprouve toujours une indulgente sympathie pour les mœurs
des habitants.

On peut le croire sans difficultés, du moment qu'il retrouve
n'importe où les mêmes merveilles, la même poésie et qu'il
éprouve chaque fois la même sympathie. Il n'y a aucune raison
pour qu'on ne voie pas en Kabylie ce qu'on voit également un
peu partout.

Mille pardons à tous les touristes. C'est parce que vous passez
en touristes que vous découvrez ces merveilles et cette poésie
Votre rêve se termine à votre retour chez vous et la banalité vous
attend sur le seuil.

Nous, Kabyles, nous comprenons qu'on loue notre pays. Nous
aimons même qu'on nous cache sa vulgarité sous des qualificatifs
flatteurs. Cependant nous imaginons très bien l'impression insi-
gnifiante que laisse sur le visiteur le plus complaisant la vue de
nos pauvres villages.

Tizi est une agglomération de deux mille habitants. Ses maisons s'agrippent l'une derrière l'autre sur le sommet d'une crête comme les gigantesques vertèbres de quelque monstre préhistorique : deux cents mètres de long, une rue principale qui n'est qu'un tronçon d'un chemin de tribu reliant plusieurs villages, conduisant à la route carrossable et par conséquent aux villes.

Cette rue principale garde sa largeur d'origine aux endroits où elle n'est murée que d'un côté : six bonnes coudées au moins. Comme, souvent, on a construit des deux côtés, elle a été grignotée et elle fait pitié dans sa prison de pierre. Elle étoufferait si elle ne laissait s'épanouir, de distance en distance, tantôt à droite, tantôt à gauche, des petits bras capricieux, des ruelles encaissées qui s'enfuient vers les champs.

En bonne logique, comment exiger qu'une rue faisant partie d'un chemin soit traitée autrement que ce chemin ? Pourquoi faut-il la paver si ce chemin ne l'est pas ? Ils sont tous deux poussiéreux en été ; elle est plus boueuse en hiver car elle est plus fréquentée. Pour la même raison, d'ailleurs, elle est continuellement plus sale. C'est la seule différence. Quant aux ruelles, elles lui ressemblent puisqu'elles sont ses filles.

Qu'on imagine à un certain endroit deux ruelles opposées qui partent du même point l'une à gauche, l'autre à droite. A cet endroit privilégié la rue est large. Est-ce par un hasard mystérieux ou une décision dont l'opportunité échappe à l'heure actuelle ? Nos aïeux n'ont pas construit aux quatre angles du carrefour : vous êtes sur la grand'place du village, la « place aux musiciens », notre djema. Elle est unique et le quartier d'en haut l'envie au quartier d'en bas.

De larges dalles de schiste sur cinquante centimètres de maçonnerie indécise, contre les pignons des maisons, forment les bancs de la « tadjemaït » sur lesquels viennent s'asseoir les hommes et les enfants. Une faveur spéciale a doté l'un de ces bancs d'une toiture à claire-voie. C'est le plus recherché à cause de sa fraîcheur en été et parce qu'il abrite en hiver. Lorsqu'on débouche sur la djema par le nord, ce banc se trouve à gauche, juste en face d'une ruelle en cul-de-sac que barre, à une vingtaine de mètres, le portail d'une habitation. C'est ce banc qui est orné de la meilleure dalle. Une dalle en marbre, en vrai marbre fauve, brillant, poli par le temps et l'usage.

Le village a trois quartiers et par conséquent trois djemas. Chaque djema a ses bancs de pierre et ses dalles luisantes. On retrouve partout, creusés dans les dalles, les mêmes damiers immuables où l'on joue avec des cailloux. Mais personne ne peut prétendre que les autres djemas égalent « la place aux musiciens ».

Il existe aussi deux mosquées. Les mosquées ont manifestement moins d'importance que les djemas. Vues du dehors, elles ressemblent aux autres maisons leurs voisines. Au dedans, le sol est cimenté, les murs sont blanchis à la chaux. C'est vide et désolant de simplicité. Les vieux qui vont y prier ont l'air d'appartenir à un siècle révolu.

Le café maure est situé hors du village. Ceux qu'il intéresse doivent aller à sa recherche et sortir de l'agglomération.

Quelques habitations prétentieuses ont été construites récemment grâce à l'argent rapporté de France. Ces maisons dressent leurs façades impudiques et leurs tuiles trop rouges parmi la vétusté générale. Mais on sent que ce luxe est déplacé dans un cadre pareil. D'ailleurs nous n'en sommes pas trop fiers. Vues de loin, elles forment comme des taches blanches qui jurent avec l'ensemble, couleur de terre. Nous savons qu'à l'intérieur elles ressemblent à toutes les autres. Elles méritent le dédaigneux dicton qu'on leur applique : « Écurie de Menaïel, extérieur rutilant, intérieur plein de crottins et de bêtes de somme. »

La vanité est l'un des travers que nous raillons le plus, peut-être, parce que nous sommes tous proches parents ou alliés.

Nos ancêtres, paraît-il, se groupèrent par nécessité. Ils ont trop souffert de l'isolement pour apprécier comme il convient l'avantage de vivre unis. Le bonheur d'avoir des voisins qui rendent service, aident, prêtent, secourent, compatissent ou tout au moins partagent votre sort ! Nous craignons l'isolement comme la mort. Mais il y a toujours des querelles, des brouilles passagères suivies de raccommodements à propos d'une fête ou d'un malheur. « Nous sommes voisins pour le paradis et non pour la

10

contrariété. » Voilà le plus sympathique de nos proverbes. Notre paradis n'est qu'un paradis terrestre, mais ce n'est pas un enfer.

Peu importe si chaque quartier a son aïeul. On a célébré depuis très longtemps des mariages entre karoubas, de sorte qu'à présent l'histoire du village est une comme celle d'une personne. Il n'y a ni castes, ni titres de noblesse particuliers à une famille. Nous avons encore de nombreux poèmes qui chantent des héros communs. Des héros aussi rusés qu'Ulysse, aussi fiers que Tartarin, aussi maigres que Don Quichotte.

Le quartier d'en bas, par exemple, est issu de Mezouz. Mezouz avait cinq enfants mâles qui donnèrent leurs noms à chacune des cinq familles de la karouba. C'est pourquoi la karouba comprend les Aït Rabah, les Aït Slimane, les Aït Moussa, les Aït Larbi, les Aït Kaci. Quant aux « Bachirens », leur ancêtre n'est qu'un réfugié venu du Djurdjura. Ils ne sont pas fiers de leur origine, les Bachirens. Dans leur for intérieur ils se sentent un peu diminués. Mais à présent, personne n'y pense plus et ils se croient, eux aussi, d'authentiques descendants de Mezouz. Pourtant, dans certaines circonstances graves, il arrive qu'on leur rafraîchisse la mémoire. Cela ne se produit que lorsqu'un intérêt important est en jeu.

En plus de cette origine commune ou identique, nous sommes de la même condition parce que tous les Kabyles de la montagne vivent uniformément de la même manière. Il n'y a ni pauvres ni riches.

Certes, il existe deux catégories de gens : ceux qui se suffisent régulièrement et ceux qui passent, au gré de la bonne ou de la mauvaise fortune, de la misère la plus complète à l'humble aisance des favorisés du ciel. Mais on ne peut ni établir un classement définitif, ni constater des différences essentielles dans le genre de vie des habitants.

Les familles riches ont plusieurs figueraies, quelques olivettes, un hectare de terre à semer, parfois une source dans l'un de leurs champs. Lorsqu'on évalue à la djema les propriétés de tel fellah à un mois de labour, on lit l'admiration et l'envie dans les yeux. Or, une journée de labour sur nos terrains escarpés avec

11

une paire de bœufs un peu plus gros que des moutons, représente à peine vingt ares. Le gros propriétaire kabyle possède donc six hectares. Il parle fort à la djema, il est maître absolu chez lui. Du moins on le lui laisse croire.

Pour conserver l'autorité et l'admiration qui sont les seuls avantages visibles de sa fortune, il trime plus que celui qui ne possède rien, travaille avec ses ouvriers pour leur donner l'exemple, mange et s'habille comme eux. Mais pareil au financier de la fable, il n'en partage pas les soucis.

Il possède du bétail : une paire de bœufs, une vache, quelques moutons, un mulet ou un âne.

Son habitation peut avoir deux pièces en vis-à-vis (qui font douze coudées de large sur quatorze de long), une ou deux petites chambres pour le fils aîné ou l'étranger de passage. Toutes les bâtisses sont construites en blocs de schiste liés avec du mortier d'argile. La toiture est en tuiles creuses reposant sur un lit de roseaux. Le parquet bien damé est recouvert d'une couche de chaux polie, luisante et jaunâtre qui donne une impression de propreté et d'élégance rustique, du moins lorsque la couche est nouvelle. Les mères de famille qui ont du goût, crépissent de la même façon, dans chaque chambre, des soubassements d'un mètre de hauteur et limitent ces soubassements par un liséré vert irrégulier qu'elles obtiennent avec des morelles écrasées. Le haut des murs, jusqu'au-dessous de la toiture, est enduit d'argile blanchâtre que l'on se procure au prix de mille peines. L'aménagement intérieur des maisons appartient aux ménagères. C'est leur tourment et leur orgueil. Selon l'aisance de la famille, le crépissage est renouvelé périodiquement tous les ans ou tous les deux ou trois ans.

Chacune des grandes pièces comprend une partie basse, dallée, qui sert d'étable, d'écurie, de bûcher. Elle est séparée de la partie haute par des piliers trapus supportant la soupente. La soupente renferme les ikoufan [1] de provisions, les jarres à huile

---

1. Sing. : akoufi — grande jarre de terre non cuite mélangée à de la paille pour recevoir les céréales ou les figues.

et les coffres de la famille. La partie haute constitue le logement. Pendant le jour, la literie se balance sur toute la longueur d'un gros bâton suspendu aux chevrons. Le kanoun se trouve n'importe où près du mur qui fait face à l'étable. Au-dessus du foyer, deux poutres parallèles joignent les deux autres murs. Ces poutres supportent différentes choses : en hiver des claies remplies de glands que la fumée du kanoun permettra de conserver, du bois vert qui pourra sécher tranquillement à deux mètres au-dessus du feu, la viande du mouton de l'*aïd* [2] dont la graisse prendra l'âcreté du hareng fumé.

Les petites pièces n'ont rien de tout cela. Elles présentent la simplicité d'un rectangle sans en avoir la régularité. Leur crépi de chaux est encore plus luisant que celui des grandes parce qu'elles sont moins enfumées. On n'y fait du feu que par les soirs d'hiver.

La cour est généralement exiguë. Quelquefois, au-dessus du portail d'entrée, se dresse une sorte de pigeonnier auquel on accède de la cour par un escalier sans prétention ou une échelle grossière. C'est une pièce supplémentaire. Au-dessous, de part et d'autre du portail, on a construit deux larges bancs que la mère de famille enduit d'un vernis de chaux dans les années de prodigalité.

Voilà donc l'énumération exacte des signes extérieurs de la richesse. Il n'y en a point d'autres. Jamais de luxe, car tout le monde sait que l'homme riche est avare. Avare pour garder jalousement son bien et pour l'augmenter au besoin ; l'avarice étant une qualité fondamentale pour devenir riche et pour le demeurer. Personne n'en veut aux avares. D'une certaine manière, ils sont admirables.

Les familles pauvres du village mènent le genre de vie des riches lorsqu'elles le peuvent, sinon elles attendent. Le pauvre n'a pas de terres ou en a très peu. De quoi s'occuper quand il chôme. Son habitation se réduit à une seule pièce. Il partage la petite cour avec des voisins aussi gueux que lui, et la djema avec

---

2. Fête religieuse.

13

tout le monde. Le fellah n'a guère l'habitude de passer ses heures de repos dans sa masure au milieu des femmes et de la marmaille. La djema est un refuge sûr, toujours disponible et gratuit. Le café maure ne tente que les jeunes et les paresseux.

Le pauvre peut avoir des animaux, comme le riche. Des animaux qu'il n'a pas achetés mais qu'un autre lui a confiés. Néanmoins, en les revendant, il prélèvera une partie du bénéfice. Il peut travailler à la journée. Il travaille pour mieux vivre. Il voudrait imiter son voisin qui est riche alors que son voisin cherche à l'imiter. Bientôt, ils ne s'entendent plus. Car il arrive fréquemment que la femme du riche envie la parure de sa voisine pauvre et ses enfants le sort de leurs camarades infortunés. Cela ne dure qu'un temps. Un hiver pluvieux, une maladie, une dépense imprévue, le départ pour la France du père de famille, sa malchance ou son insouciance suffisent pour rétablir les positions. Le riche demeure toujours avare. Le pauvre, tour à tour, nargue ou convoite la misère du riche.

En somme, à Tizi, on se connaît, on s'aime ou on se jalouse. On mène sa barque comme on peut, mais il n'y a pas de castes. Et puis, combien de pauvres se sont mis à amasser et sont devenus riches ? Combien de riches se sont appauvris promptement avant d'être ruinés par Saïd l'usurier, que tout le monde respecte, craint et déteste. Il aura son tour, bien sûr, il mourra dans la mendicité. La loi est sans exception. C'est une loi divine. Chacun de nous, ici-bas, doit connaître la pauvreté et la richesse. On ne finit jamais comme on débute, assurent les vieux. Ils en savent quelque chose !

- tu te ceins

- on te ceindra

III

Mes parents avaient leur habitation à l'extrême-nord du village, dans le quartier d'en bas. Nous sommes de la karouba des Aït Mezouz, de la famille des Aït Moussa. Menrad est notre surnom.

Mon oncle et mon père se nomment l'un Ramdane, l'autre Lounis mais dans le quartier on a pris l'habitude de les appeler « les fils de Chabane » je ne sais trop pourquoi. Ils furent orphelins de si bonne heure que mon père ne connut jamais mon grand-père. On aurait dû les appeler les fils de Tassadit, ma grand'mère. Leurs oncles ou leurs cousins préférèrent, sans doute, perpétuer le nom de Chabane pour bien montrer aux gens que les orphelins avaient de qui tenir et qu'à deux ils remplaçaient en fait et en droit celui qui n'était plus. Cette façon de voir était louable au début. Mais par la suite, les enfants devinrent des hommes. Ce collectif les diminuait un peu car on ne parlait jamais d'eux que comme d'une seule personne. Pourtant, ils ne se ressemblaient guère.

Mon oncle Lounis a les traits fins, le regard moqueur, le teint blanc. Il est méticuleux et propre. Je le revois toujours avec une gandoura blanche et un turban soigneusement enroulé. Je l'ima-

15

gine rarement une pioche à la main, la taille serrée du large
ceinturon à clous dorés. Cela lui arrive quelquefois. Alors, il
manie l'outil maladroitement, y met de la mauvaise volonté,
bâcle son travail. Certes, il est mieux à la djema. Les gens savent
qu'il est franc et nerveux. Sa parole est vive. Sa rancune est un
feu de paille. Il fut l'un des jeunes hommes les plus élégants
du village. Pour cette raison il acquit une place de choix dans
le cœur de sa mère. Du reste, c'était l'aîné. Ma grand'mère aimait
à répéter qu'il l'avait aidée à élever le petit Ramdane. En vérité
ia pauvre femme n'avait jamais pu compter sur lui. Il était
évident qu'elle avait un faible pour Lounis. Elle lui avait donné
un physique agréable. Ce fut son premier cadeau. Elle se repro-
duisit elle-même en son fils aîné : le même sourire, le même
visage ovale, le même son de voix.

Ramdane, de son côté, ressemble exactement à Chabane ; le
hasard, peut-être, a voulu lui accorder une petite consolation en
mettant à sa portée un moyen facile d'imaginer son père. Ramdane est brun, plus solide et plus trapu que son frère, c'est le
type du paysan kabyle noueux et bien musclé. Pour le visage
c'est Chabane lui-même répète ma grand'mère : front carré, petit
nez retroussé, lèvres minces, pommettes larges. Il a aussi le
regard de son père et le même tic lui fait fermer l'œil gauche
quand il vous regarde. Dans sa jeunesse, ma grand'mère a vainement essayé de lui faire perdre cette disgracieuse habitude
ainsi que sa façon de marcher pesamment, comme un ours, les
pieds en équerre. Cette allure lui donne l'air, à chaque pas,
d'affronter un adversaire ou de charger un fardeau. Ma grand'-
mère l'a toujours considéré comme une espèce de lourdaud peu
exigeant. Il n'est pas bavard comme son frère mais timide jusqu'à
l'impolitesse, renfermé et apparemment aussi lourd d'esprit
que de manières. Il semblait tout destiné aux travaux du
fellah. Il accepta impassiblement son rôle. Ses gros doigts
ne l'empêchaient pas de jouer admirablement de la flûte. Mais
seuls les jeunes gens de son âge le savaient. Il adorait sa mère
et son frère mais cachait son affection au fond de son cœur
comme une faiblesse. Il avait une façon imagée de railler sans

méchanceté les gens et les choses. En réalité, c'était un pince-sans-rire, doublé d'un philosophe et d'un poète. Beaucoup de ses bons mots se répètent encore dans le village. En général on l'aime autant que son frère parce qu'il est simple et honnête.

Lorsque je vins au monde, mon oncle n'était pas loin de la cinquantaine et mon père de la quarantaine. Ils avaient femme et enfants.

Helima, la femme de mon oncle, est originaire du quartier d'en haut. C'est une grande femme sèche et droite avec des yeux étincelants, une grosse voix, la main leste et l'allure féline. Elle s'imposa tout de suite à la vieille Tassadit qu'elle ne tarda pas à épouvanter. Mon oncle prit l'habitude de la battre sans jamais parvenir à se faire craindre. Mon père était son implacable ennemi parce qu'il déjouait toutes ses ruses. Nous savons dans la famille qu'elle a récolté la malédiction de ma grand'mère et nous supportons son amertume.

Pourtant c'était la vieille qui l'avait choisie. Le père de Helima, un ancien ami de mon grand-père, avait fait, comme convoyeur, la Campagne de Madagascar. Il en était revenu avec de l'argent. Ma grand'mère le crut très riche et pensa trouver en lui un appui pour ses enfants. Elle ne se pardonna jamais son erreur. Le vieux soldat, tranquille sur le sort de sa fille, mourut bientôt, sans lui laisser rien d'autre qu'une médaille dorée avec un ruban de soie verte, laquelle échouera, beaucoup plus tard, entre mes mains.

Ma mère est des Aït Moussa, c'est donc une cousine des Menrad. Ma grand'mère la prit aussi par calcul. Mon grand-père maternel, Ahmed, légua, avant de mourir, une maisonnette et un champ à ses trois filles. Il laissa un papier de Cadi. Il existe encore ce papier, un peu noirci, mais toujours solide, plié en quatre, enveloppé dans un chiffon, caché dans un pot en terre fermé d'un bouchon de liège. Ce fut une donation « ferme et définitive ». Ma mère s'en souvient très bien. Mais lorsque l'acte arriva, le cheikh qui le traduisit expliqua aux héritières qu'elles n'avaient droit qu'à l'usufruit. Le Cadi, sans doute, n'avait pas bien compris les vœux du mourant. Il enregistra ceux des frères. Cela n'eut pas beaucoup d'importance car ma mère et mes tantes ne furent pas inquiétées par leurs oncles qui se partagèrent les autres champs. A la mort des trois sœurs, ils prendront sans histoire le reste de l'héritage.

Ahmed, mon grand-père, était veuf. Il n'ignorait pas que ses filles n'auraient aucun soutien. Mais il n'osa pas leur donner ses propriétés, avant sa mort, ce qui eût été la seule façon de les garantir de la misère. Il craignait pour ses biens, proie facile entre des mains de femmes. Il se refusait à exposer sa mémoire aux flétrissures des Aït Moussa vivants et futurs. Il ne voulait pas que d'autres s'installassent sur ses terrains fussent-ils des gendres ou des petits-enfants. Oh ! oui, les choses auraient été arrangées de son vivant, si un de ses petits-cousins, Moussa comme lui, s'était marié à l'une de ses filles. Ils n'en voulurent pas — sauf, peut-être, les fils de Chabane. Un parti trop maigre ! — Il fut souvent tenté de leur en garder rancune. Mais sur ses derniers jours, il crut plus sage de leur laisser ses terrains afin de ne pas détacher ses filles de la grande famille.

— Je m'en vais, pensa-t-il. Nul ne dira que j'ai lésé les intérêts des miens. A eux l'honneur ou le déshonneur. Ils ont le choix.

Parbleu ! ils choisirent l'honneur, les Aït Moussa. Ils ne voulurent pas que les filles les déshonorent. D'abord la mauvaise volonté du vieux était évidente puisqu'il avait essayé de donner « définitivement » la maison et un champ. Le Cadi avait été compréhensif. Heureusement ! Pour le reste, il n'était pas nécessaire d'y aller par trente-six chemins.

— Tâchez de vous débrouiller dans l'honneur, dirent-ils aux filles. Le moindre de vos écarts peut salir notre nom. La plus grave des sanctions ne se fera pas attendre. Vous êtes à notre discrétion. Marchez droit. Le reste ne nous regarde pas.

Il est d'usage, lorsqu'un proche hérite, de recueillir les orphelines, de les marier et de veiller sur elles. Les Aït Moussa sont trop nombreux et se jalousent trop pour se conformer à la règle. Ils voulurent tous de l'héritage et prirent ensemble l'engagement de s'occuper des orphelines. Ils tinrent cet engagement dans la mesure où il consistait à surveiller étroitement les malheureuses.

Les sœurs, à se sentir ainsi surveillées, à se voir parfois malmenées, en surent gré à leurs oncles ou cousins parce qu'en même temps, elles se croyaient protégées. Elles préféraient cela à l'indifférence et à l'abandon qu'accompagne toujours le mépris. C'était de braves filles avec des idées bien arrêtées. Elles acceptaient que leurs oncles les trompent, les dépouillent pourvu qu'on ne les écartât pas de la communauté et qu'elles gardassent leur droit au nom.

De toutes les tantes, ma grand'mère Tassadit était une de celles qui s'intéressaient le plus aux orphelines, leur disaient le plus de douceurs et les conseillaient le plus souvent. Elles prirent bientôt l'habitude de la consulter sur toutes choses.

Fatma, l'aînée, avait moins de vingt ans. Ramdane n'était pas encore marié. Ma grand'mère eut l'idée de les unir. Elle n'était pas laide Fatma : petite, pâlotte et maigre, avec un visage un peu trop long et des pommettes saillantes, mais un beau regard plein de douce mélancolie. Elle n'avait rien des allures sauvages et fières des jeunes filles de son âge. Elle était simple et naïve. En dehors du couscous, elle ne savait rien préparer. Ma grand'mère eut beaucoup de difficultés à lui faire accepter Ramdane. Fatma s'y résigna lorsqu'elle fut certaine que la grosse enveloppe d'ours cachait beaucoup de force, beaucoup d'ardeur au travail et assez de bon sens. Elle pensa qu'il serait en même temps un tuteur pour ses deux sœurs. Le mariage se fit le plus simplement du monde. Les deux frères Lounis et Ramdane prirent sous leur protection les orphelines, tous les cousins s'en félicitèrent.

Je crois que ma grand'mère n'eut jamais à se plaindre de ma mère. Fatma vécut à son ombre et fut l'ennemie intime de Helima. La vieille Tassadit se trouvait dans une situation un peu paradoxale : elle aimait Lounis plus que Ramdane, mais elle préférait Fatma à Helima. Ce fut, peut-être, pour cette raison que les deux ménages purent vivre longtemps ensemble et que ma grand'mère put conduire la maison avec une relative impartialité.

On sait, en effet, que les gens de chez nous sont disciplinés, tout au moins dans leur vie familiale. Nous sommes tous d'accord pour blâmer le gaspillage. C'est pourquoi chaque famille

19

Tassadit

Helima — Lounis   *Ramdane — Fatma*

se soumet à un responsable. Le responsable dispose des provisions, fixe les rations à son gré, décide de l'utilisation des économies, des achats ou des ventes à effectuer. On l'accuse quelquefois de se servir mieux que les autres, mais c'est toujours par envie. La coutume a consacré les vertus du maître ou de la maîtresse de maison. Des proverbes indiscutables rendent justice à leur mérite.

Chez les Menrad, c'était ma grand'mère qui était chargée de la subsistance. Elle seule ouvrait et fermait les ikoufanes. Elle avait ses façons particulières de manier chaque ustensile, ses secrets pour enlever ou remettre le couvercle ; des indices imperceptibles pouvaient lui donner l'éveil. Ses brus savaient à quoi s'en tenir. La soupente était son domaine, elle seule y avait accès. Elle y grimpait pour prendre la ration de figues, emplir un tamis d'orge ou servir l'huile et la graisse. Elle avait ses mesures à elle, une arithmétique personnelle, une mémoire sûre. Sa vigilance ne pouvait pas être trompée.

Les femmes préparaient les repas. Mais une fois le couscous cuit, c'était elle qui le versait dans les plats. Il n'y avait que la viande qu'elle faisait partager par son aîné : travail d'homme. Comme nous en achetions seulement pendant les fêtes, c'était en somme ma grand'mère qui nourrissait la famille, pareille, en quelque sorte, à une mère poule donnant à chacun la becquée.

Certes, voilà un travail qui exige de grandes qualités car on sait que les Kabyles ne nagent pas dans l'opulence. Néanmoins, comme on en charge toujours le plus vieux ou le plus respectable de la famille, on est généralement tranquille sur le sort des autres et l'on est certain qu'il remplit son devoir avec le souci constant de l'intérêt commun.

IV

J<small>E SUIS NÉ</small> en l'an de grâce 1912, deux jours avant le fameux
prêt de Tibrari [1] qui a, jadis, tué et pétrifié une vieille sur
les pitons du Djurdjura et qui demeure toujours la terreur
des octogénaires kabyles.

Comme j'étais le premier garçon né viable dans ma famille,
ma grand'mère décida péremptoirement de m'appeler Fouroulou (de *effer* : cacher). Ce qui signifie que personne au monde
ne pourra me voir, de son œil bon ou mauvais, jusqu'au jour
où je franchirai moi-même, sur mes deux pieds, le seuil de notre
maison.

On serait peut-être étonné si j'ajoutais que ce prénom, tout à
fait nouveau chez nous, ne me ridiculisa jamais parmi les bambins de mon âge, tant j'étais doux et aimable. Aussi loin que
je puisse remonter dans mes souvenirs, je retrouve toujours auprès
de moi une chaude et naïve amitié. L'image la plus reculée qui
surgit subitement dans ma mémoire est celle d'un petit garçon

---

1. Tibrari : février. Février prêta une de ses journées à Janvier qui voulait
punir une vieille du Djurdjura. Cette journée s'appelle *amerdhil*, le prêt.

assis dans notre courette sur une jarre renversée : sa petite cousine Chabha, debout devant lui, énumère sur ses cinq petits doigts les bonnes choses qu'elle voudrait lui faire manger. Je me revois ainsi, portant une petite gandoura blanche à capuchon, pouvant à peine marcher mais bavardant à mon aise. J'avais peut-être trois ans.

Mon père et mon oncle étaient parmi les pauvres du quartier. Mais ils n'avaient que des filles. Aussi étais-je plus heureux à la maison que la plupart de mes petits camarades au milieu de leurs frères.

A la vérité, Helima, la femme de mon oncle qu'il m'est impossible même à présent d'appeler ma tante, ne pouvait me souffrir. Mais ma mère, mes sœurs, mes tantes maternelles — mes vraies tantes — m'adoraient ; mon père se pliait à toutes mes volontés ; ma grand'mère, qui était la sage-femme du village, me gavait de toutes les bonnes choses qu'on lui donnait, au grand dépit de Helima ; mon oncle, qui savait la valeur d'un homme à la djema et pour lequel je représentais l'avenir des Menrad, m'aimait comme son fils. C'était plus qu'il n'en fallait pour bien élever un enfant.

Cependant, je dois dire que les efforts conjugués de toute la famille n'ont pas abouti au résultat envisagé : j'étais l'unique garçon de la maisonnée. J'étais destiné à représenter la force et le courage de la famille.

Lourd destin pour le bout d'homme chétif que j'étais ! Mais il ne venait à l'idée de personne que je puisse acquérir d'autres qualités ou ne pas répondre à ce vœu.

Je pouvais frapper impunément mes sœurs et quelquefois mes cousines : il fallait bien m'apprendre à donner des coups ! Je pouvais être grossier avec toutes les grandes personnes de la famille et ne provoquer que des rires de satisfaction. J'avais aussi la faculté d'être voleur, menteur, effronté. C'était le seul moyen de faire de moi un garçon hardi. Nul n'ignore que la sévérité des parents produit fatalement un pauvre diable craintif, faible, gentil et mou comme une fillette. Ce ne sont pas les principes qui manquent aux fils de Chabane mon aïeul.

22

Pénétré de mon importance dès l'âge de cinq ans, j'abusai bientôt de mes droits. Je devins immédiatement un tyran pour la plus petite de mes sœurs, mon aînée de deux ans. Je l'appelais Titi. — Le nom lui est resté —. Elle n'était pas plus grande que moi et me ressemblait autant qu'une petite sœur ressemble à son frère, c'est-à-dire qu'on pouvait la reconnaître grâce à son foulard et à sa natte de cheveux longs. Elle avait un bon naturel qui lui permettait d'essuyer mes coups et d'accepter mes moqueries avec une mansuétude peu imaginable chez un enfant de son âge. Toutefois on ne manqua pas de lui inculquer la croyance que sa docilité était un devoir et mon attitude un droit. Chaque fois qu'il lui arrivait de se plaindre, elle recevait une réponse invariable : « N'est-ce pas ton frère ? Quelle chance pour toi d'avoir un frère ! Que Dieu te le garde ! Ne pleure plus, va l'embrasser ».

Grâce à ce procédé, elle avait fini par croire inséparable la formule « que Dieu te le garde » du nom de frère et il était touchant de l'entendre dire à ma mère en pleurant :

— C'est mon frère, que Dieu me le garde, qui a mangé ma part de viande. — Mon frère, que Dieu me le garde, a déchiré mon foulard.

Petite sœur, qui es maintenant mère de famille, ton vœu a été exaucé. Dieu t'a gardé ton mauvais frère.

Ma tyrannie s'exerçait d'une autre façon sur ma grande sœur Baya. Baya aidait notre mère. Elle savait déjà prendre son parti et la défendre au besoin. Elle était intelligente, courageuse et obstinée. Elle s'imposa par sa force, réussit à se faire respecter et à se faire craindre. Baya était chargée spécialement de veiller sur moi et de me distraire. Je ne me laissais pas faire aisément. Je m'étais bien vite rendu compte qu'en pleurant je pouvais obtenir tout ce que je voulais. Les larmes et les cris étaient mon arme infaillible.

Cependant, ce stratagème, qui réussit à merveille dans ma famille, me causa une grosse déception et beaucoup de désagréments au dehors. J'eus beau sangloter, mes cousines, les premières, m'apprirent que tout le monde n'était pas obligé de me faire

plaisir. Leur mère, qui me détestait comme un reproche, leur
traçait ouvertement une ligne de conduite à mon égard.

— Ce n'est pas votre frère. Vous n'avez pas de frère !

Le ton dont elle disait cela signifiait sans erreur possible que
j'étais un ennemi. J'entends encore la voix de Helima, je vois
son regard méchant. Je compris très tôt sa haine.

Deux petits voisins de mon âge ou à peine un peu plus grands,
mais en tout cas plus éveillés, me désillusionnèrent eux aussi
autant qu'ils le purent.

J'adoptai donc avec tous mes voisins et toutes mes voisines
la seule attitude que je pouvais adopter : je me faisais doux,
aimable, patient ; je savais flatter le plus audacieux, je donnais
ou je prêtais sans trop de difficultés ce qu'on me demandait et
mes parents voyaient s'écrouler, peu à peu, leur rêve de faire de
moi le lion du quartier, plus tard le lion du village.

Susceptible à l'excès, j'étais de surcroît très craintif lorsque
je m'aventurais en dehors de notre rue. Mon camarade Akli se
rappelle encore à présent un bloc de silex tout blanc, sis au bout
de la rue. Une fois ce bloc dépassé, j'obéissais automatiquement à
ses ordres. Ses amis étaient les miens ; j'évitais ses ennemis ;
j'étais son humble second. Il me défendait lorsqu'il le pouvait,
ou bien, acceptant loyalement les responsabilités de chef, s'expo-
sait lui-même aux coups et ne me laissait affronter un adversaire
que lorsqu'il en avait un autre plus dangereux. En rentrant chez
nous, je reprenais mon galon à la borne fatidique. Il était, alors,
obligé de se soumettre à tous mes caprices et Dieu sait s'ils
étaient extravagants.

Si nous fabriquions des jouets, il lui fallait mes conseils et, le
travail fini, mon approbation. Très souvent, je brisais d'un geste
brutal le fruit de son application ; il suçait alors ses doigts écor-
chés par la besogne et acceptait avec une largeur d'esprit méri-
toire ma décision sans appel.

Il sentait confusément que j'avais plus d'imagination et de
goût que lui. Quant à moi, j'étais forcé d'admettre qu'au dehors
il se faisait respecter bien mieux que moi. Nous nous complé-
tions à souhait. Nous fîmes ensemble notre entrée dans le monde.

24

D'abord à la djema du quartier, puis dans les autres djemas, enfin à l'école.

A quel moment et dans quelles circonstances naquit notre amitié ? Je ne saurais le dire. Dans ma mémoire, le petit Fouroulou de cinq ou six ans est toujours escorté d'Akli. Nous habitions la même rue ; c'est là sans doute, que nous nous connûmes. Cependant, rien n'explique notre attachement. Il y avait d'autres bambins, mais il ne se forma pas de paire d'amis comme la nôtre.

Akli était beau comme une fillette et turbulent comme un diable. Il n'avait rien de ma douceur, ni de ma tranquillité. Il aimait rire, taquiner, cogner. Il ne craignait pas les grandes personnes qui pardonnaient toutes les espiègleries à ses beaux yeux, son teint blanc, ses traits fins et réguliers. Quant à moi, j'avais de la timidité pour deux. Ce qui me fit estimer autant qu'il l'était pour sa hardiesse. Il avait les poings et les pieds trop grands, mais il m'assurait que c'était nécessaire pour se battre ou se sauver. J'admirais et j'aimais Akli parce qu'il avait tout ce qui me manquait. Je suppose qu'il s'attacha à moi pour les mêmes raisons.

Je ne me rappelle pas combien de temps il nous fallut pour explorer le quartier, connaître tous les enfants et être connus d'eux. Dans tous les cas, nous traversâmes cette première épreuve avec succès. Il y avait des garçons que tout le monde pouvait frapper — taillables et corvéables à merci —. D'autres dont on pouvait se moquer ; certains qu'il suffisait d'appeler par un sobriquet pour les voir quitter la partie et disparaître. Aucun de ces désagréments ne nous arriva. Nous finîmes même par imposer nos qualités respectives : lui sa hardiesse, moi mon goût et ma vivacité.

Bientôt, je n'eus plus peur de sortir tout seul, d'aller à la djema et même d'arriver aux abords du café fréquentés surtout par les garnements en quête de mégots. Lorsque ma cousine Chabha me demandait de jouer avec elle, je lui répondais, non sans importance, que des occupations plus intéressantes, plus viriles, m'appelaient loin de la maison, elle baissait la tête, domptée et n'insistait plus.

25

machismo

Par un effet du hasard, les jours où je la dédaignais, je trouvais quelqu'un qui me menaçait, me provoquait ou me défendait l'accès de la djema, de sorte que je revenais à la maison plus vite que je ne me l'étais proposé. J'acceptais alors humblement de jouer avec Chebha et les autres fillettes. Je me gardais de dire le motif de mon brusque retour. Je tâchais d'oublier ma lâcheté ou de ne plus penser aux coups que je venais de recevoir.

Il ne m'est jamais arrivé de solliciter la protection de mes parents lorsque mon adversaire était de mon âge : ou bien j'acceptais la bataille, ou, si j'avais peur, je me sauvais. Je dissimulais avec soin retraites et défaites. Je ne parlais que de mes victoires. Il est certain que, ma mère mise à part, ni mon père, ni mon oncle, ni aucun de ma famille n'aurait consenti à me porter secours. Ils auraient été d'abord désagréablement surpris de me voir reculer, puis m'auraient obligé à affronter mon adversaire. Ces choses-là m'étaient déjà arrivées, avec mon oncle surtout. Lorsque je remportais la palme dans un de ces combats intempestifs, j'étais félicité par tous. Lorsque j'avais le dessous, ils m'accablaient de leurs railleries.

Oh ! dans ces moments-là on était loin de me gâter. Je lisais le mépris sur tous les visages, excepté sur la figure douce et mélancolique de ma mère. Il est vrai que ma mère n'avait d'autres prétentions que de m'aimer par-dessus tout.

J'ai gardé longtemps un respectueux effroi pour la logique inexorable de mon oncle. Il était inflexible. Trois cas, d'après lui, pouvaient se présenter, selon que mon antagoniste était plus petit, du même âge ou plus grand que moi.

ruse Si j'avais affaire à un petit, il me permettait de lui donner la correction pourvu qu'après coup je me sauve ou me cache. Si on venait se plaindre, mon oncle me cherchait pour me punir, se gardait de me trouver, consolait l'enfant, promettait aux parents mon châtiment.

S'il s'agissait d'un garçon de mon âge, je n'avais aucune raison de le craindre. Mon oncle faisait ressortir avec colère que l'avantage était de mon côté : j'étais mieux nourri, donc j'avais plus de forces ou bien « son père ne s'était jamais battu » — le fils

26

d'un lâche ne devait pas faire reculer un Menrad ; ou encore « c'était le fils d'une veuve »— peu courageux par définition ; ou, enfin, c'était un garçon d'un çof rival — aucune retraite n'était permise devant un ennemi.

Je reconnaissais intimement toute la force de ces arguments sans réplique et je me résignais à avoir du courage.

Par contre, il n'admettait pas qu'un garçon plus grand que moi me frappât ou me taquinât. C'est ce qui me permettait d'avoir ma petite revanche sur mon oncle. Sur ce dernier point, je lui rendais compte scrupuleusement de ce qui m'arrivait. Un grand me volait-il une bille ? je rentrais à la maison en sanglotant sans arrêt, je le lui dénonçais ; Lounis se levait, courait à sa recherche, criait, tempêtait, souvent donnait des taloches tandis que je ne le quittais pas d'une semelle et que je sanglotais sans discontinuer. Ce brave oncle ! Il était plus enfant que moi. Que de futilités pour lesquelles je le faisais courir ! Il m'a sans doute pardonné dans la nuit de son grand repos.

V

IL EST CLAIR que mon oncle n'avait pas tort de vouloir me
donner une éducation virile. Mais il y mettait trop d'enthousiasme et de parti-pris. Je n'ai guère profité de ses leçons.
Une de ses démonstrations, plus dramatique que les autres,
confirma ma façon de voir et je sus apprécier, tout jeune, le prix
de la tranquillité.

C'était un matin, pendant la saison des figues ; les fellahs
avaient déjà rempli un premier sac de feuilles de frêne pour leurs
bœufs et venaient se reposer sur les larges dalles de la place aux
musiciers. Je connaissais tous ces hommes. Voilà, sur le banc
couvert, Boussad N'amer en train de confectionner un panier
avec des brins d'olivier sauvage. Je m'assois à ses côtés. C'est
lui qui m'intéresse. Je sais qu'il supporte les enfants. Son visage
noiraud ne m'effraie pas, malgré ses rides et ses yeux pétillants.
Il est nu-tête parce qu'il fait chaud ; son crâne bosselé sous des
cheveux coupés ras fait songer à une pastèque. L'échancrure de
sa gandoura laisse voir sa poitrine velue. Il a placé dans sa chéchia renversée sa tabatière de corne ; les brins d'olivier sauvage
occupent toute la dalle de marbre fauve. Il tient l'ébauche de

panier entre ses jambes tannées qui lui servent d'étau facile à régler. Il taille et tresse en même temps.

Je le regardais faire attentivement. Mais j'étais trop près, les brins en s'entortillant m'effleuraient le visage.

— Recule, fils de Ramdane, le banc est large !

— Non, je veux apprendre.

— Va jouer avec ceux de ton âge ; tu attires toutes les mouches sur ta figure et tes yeux.

— J'ai ma place à la djema comme tous les autres.

— Bon ! mais prends garde que je ne te touche.

Tous les marmots du village apprennent de bonne heure qu'ils ont leur place à la djema. Le moindre rejeton mâle y a autant de droits que n'importe qui. Cela, nous n'hésitons jamais à le rappeler aux grandes personnes avec autant d'impertinence que d'à-propos. Boussad me subit, se tut et continua son travail.

Les brins d'olivier sauvage s'entrecroisaient plus ou moins docilement. Parfois ils se cassaient. Alors il saisissait un grand couteau bien effilé et retaillait le bout cassé. Je ne peux pas dire comment cela arriva : je sentis soudain une chaleur douce au sourcil, suivie immédiatement d'une douleur aiguë comme une piqûre de guêpe. Il venait de m'appliquer la lame de son couteau sur le front. J'y portai la main avec vivacité, je la retirai inondée de sang. Alors je me mis à crier. Tous les hommes se levèrent, vinrent à moi. Je me débattis comme un possédé entre les mains du vieux qui me tenait et m'appliquait sur la plaie ce qui lui restait de prise au fond de sa tabatière. Un autre déchira sa gandoura déjà en loques et me fit un turban avec un morceau de la vieille étoffe. Le sang continuait à couler, je continuais à crier. Boussad était pâle. Son couteau gisait parmi les brins en désordre et le panier informe. Il était anxieux et demandait, en haletant, si ma blessure était grave.

— Tu aurais pu lui crever un œil !

— Ne l'ai-je pas averti ? Il était trop près. Dieu l'a voulu. Je n'y peux rien.

— Tu aurais dû faire attention. C'est bien malheureux. Reste à savoir comment ses parents recevront le petit. Va chez toi,

29

Menrad, va ! Dis à ta mère qu'elle t'applique la cendre d'un linge brûlé.

Je me dirigeai chez nous ensanglanté, conscient d'avoir échappé à un assassinat puisque les témoins, eux-mêmes, ne voulaient pas croire le malheureux Boussad qui jurait par tous les saints qu'il ne m'avait pas blessé exprès et qu'il m'aimait comme l'un de ses enfants. Mais il avait beau jurer, tous ces braves gens hochaient la tête en s'apitoyant sur mon sort. On ne pouvait, certes, ni douter de leur sincérité, ni les accuser de chercher honnêtement à envenimer les choses.

La première personne que je rencontrai sur le seuil de notre porte était justement celle que la Providence aurait mieux fait d'éloigner à ce moment-là. C'était mon oncle, attiré par mes cris. Ma mère était sur ses talons.

Ils virent ma figure barbouillée de sang, mon turban sombre et mouillé.

— Qui t'a arrangé ainsi ? dit mon oncle.

— On a tué mon fils, glapit ma mère qui poussa sans hésitation un grand cri de détresse.

Je lui répondis de mon mieux. Mon oncle était hagard :

— Dis vite ! Qui ? Pourquoi ?

— C'est Boussad N'amer.

— Exprès ?

— Oui, il a voulu me tuer.

Cela suffit. Mon oncle file comme une trombe. Instantanément, il a imaginé la scène : ce Boussad, d'un çof rival, armé d'un couteau, se jette sur son neveu sans défense. Il veut tuer l'enfant, supprimer le dernier des Menrad... Mon oncle court, vole à la djema armé d'un gourdin. Une bouffée de haine lui monte du cœur à la tête. Il va venger son honneur, il va imposer aux gens le respect de sa famille.

Ma mère se précipite derrière lui, entraînant le reste de ma famille. C'est une course confuse. Nous n'avons pas le temps d'arriver à la djema que nous parviennent des vociférations. Je ne pense plus à ma blessure. Je tremble comme une feuille. La place est pleine de monde, telle l'entrée d'une fourmilière sur

30

laquelle on vient de marcher. Je suis seul dans la bagarre. Où est ma mère ? Où est mon oncle ? Je distingue à l'une des sorties de la djema une grappe d'hommes se bousculant, je vois nettement un cousin de Boussad lancer une pierre qui tombe avec un bruit mat. Puis j'entends un grand cri dominant le brouhaha. Un de nos cousins fonce dans le tas avec une matraque, il soulève quelqu'un de terre : c'est mon oncle.

A une dizaine de mètres plus loin, dans une ruelle sans issue, se déroule la bataille des femmes, bruyante et grotesque réplique. Elles forment, elles aussi, une grappe tumultueuse et multicolore où dominent le noir des chignons et le rouge des foutas.

La djema se remplit de plus en plus de spectateurs et de lutteurs. Aucun spectateur n'est indifférent. Les vieilles inimitiés se réveilleront ; d'anciens comptes qui n'attendent qu'un prétexte peuvent se régler. Mais voilà l'amin [1]. Il monte sur une dalle. A côté de lui, un marabout déploie un étendard de soie jaune.

— Que la malédiction soit sur celui qui ajoutera un mot ou fera un geste, dit ce dernier, d'une voix forte et grave.

Les hommes se séparent. Les femmes s'envoient traîtreusement le dernier coup. Mon cœur bat à se rompre, ma gorge et mes lèvres sont sèches. Je ne peux ni pleurer ni fuir. J'aperçois ma mère, les cheveux au vent, cherchant son foulard. Je vais près d'elle. Elle me trouve, ne cherche plus rien, serre avec force ma petite main et abandonne la place. Ma mère a l'oreille déchirée, ma grand'mère brandit dans ses mains une poignée de cheveux, Baya a pris comme trophée la fouta d'Aïni, la femme de Boussad. Elles sont échauffées et voudraient se battre encore. Elles m'étourdissent avec le flot d'injures dont elles accablent leurs ennemies déjà loin et qui, sans doute, les injurient tout autant.

A peine sommes-nous à la maison, que les gens du quartier rentrent, portant mon oncle méconnaissable. Il a reçu une grosse pierre sur la tête, un coup de couteau au flanc. Notre cousin Kaci a subi, lui aussi, plusieurs coups de bâton. Quant au çof rival, il a eu exactement son compte : Boussad est transporté chez

---

1. *Amin :* chef du village.

lui assommé par mon oncle,, son frère a perdu la moitié de ses dents, d'autres ont été suffisamment maltraités : yeux pochés, figures labourées, dos meurtris.

Ce bilan est dressé par l'un des nôtres pendant qu'on couche mon oncle sur une natte. Ils portent tous des marques de la bataille : longues égratignures où perlent des gouttes de sang, gandouras déchirées, turbans sur les épaules.

Ma mère présente un vase en terre plein d'eau, pour laver les blessés.

— Pas du tout ! dit quelqu'un. Il faut les laisser tels qu'ils sont et que les roumis les voient ainsi.

— Eloigne-toi, gronde mon oncle.

—Nous te ferons monter sur un âne, ajoute Kaci. Nous irons voir le Caïd, tout de suite.

— Oui, les autres en feront autant. Il s'agit de les devancer, dit un autre.

Chacun donna son avis, mais les propos étaient empreints d'incertitude et d'hésitation. Tous redoutaient les suites que pouvait entraîner cette histoire. Aucune des mesures proposées ne donna satisfaction. On promit de revenir le soir au grand complet, pour préparer le plan de défense des Aït Moussa contre les Aït Amer. Puis tout le monde se retira, à l'exception de notre cousin Rabah, un jeune homme bien bâti qui, sur un signe de mon oncle, s'assit près de la soupente.

Dans la famille, on semblait oublier que j'étais la cause initiale de ce malheur. Ma tante Helima et ses filles étaient là pour me le rappeler sans pitié. Helima boudait. Elle avait été la moins ardente dans la bataille. Elle détournait obstinément les yeux de son mari et me lançait de temps en temps des regards pleins de colère. Ma cousine Djouher passa près de moi et me pinça brutalement.

— Regarde ton oncle ! il est joli. C'est toi la cause de tout ça.

Elle m'a fait bien mal, mais je ne dis rien. J'étouffe un sanglot dans ma gorge. Je regarde ma mère avec désespoir. Elle a tout vu. Elle baisse les yeux, impuissante. Elle m'abandonne. Soudain mon oncle se lève sur son séant. Il a tout vu, lui aussi.

— Retire-toi avec tes garces, dit-il à sa femme.

Helima sort en grognant.

— Approche, Fouroulou. Alors, tu as bien mal ?

Il me prend la main, m'attire près de lui. Je n'en peux plus. Mes yeux s'inondent de larmes, ma petite poitrine se secoue, je pleure, je pleure sans arrêt.

Ma mère me jette sur son dos et sort à son tour. Nous le laissons seul avec ma grand'mère et Rabah. Pendant que la première lui applique sur les plaies une pâte noirâtre de sa fabrication, il donne au second quelques recommandations secrètes : mon père est absent. Il est parti de bonne heure pour Tizi-Ouzou avec une charge de raisin portée par son âne. Il ne sera de retour qu'à la nuit tombante. Il n'a rien vu de la bataille. Les Aït Amer le savent. Ils sont capables de lui tendre un guet-apens, puisque nous avons eu l'avantage le matin. Tout notre çof est fier d'avoir eu le dessus. La chose a été décidée à l'unanimité. Il n'y a peut-être que nos rivaux qui soient d'un autre avis et qui, à leur tour, avec le même ensemble, se proclament les vainqueurs. Seulement nous ne nous en doutons pas. Voilà pourquoi mon oncle a retenu Rabah. Maintenant il le charge de se munir d'armes, d'aller à la rencontre de mon père et d'avertir quelques proches parents décidés, afin qu'ils se tiennent, eux aussi, en dehors du village, à l'endroit présumé où viendraient se poster les ennemis.

Lorsque mon père arriva sain et sauf à la maison, on se rendit compte, avec une joie mêlée d'un peu de dépit, que ces précautions étaient inutiles. Heureusement ! Dans la modestie de leur cœur, les Aït Amer, ayant jugé qu'ils avaient battu les Menrad, étaient restés prudemment chez eux.

A la vue des turbans sombres et des croûtes de sang, mon père entra dans une violente colère. Il se mit à jurer tout ce qu'il aurait juré s'il avait assisté à la « fête » du matin. Il brandissait tour à tour un debbous [2], un poignard, un vieux pistolet, dans la direction de la djema. Il voulait s'élancer dehors mais ma grand'mère, Helima et ses filles s'agrippaient à sa gandoura, à

---

2. Debbous : massue, casse-tête.

ses épaules, à ses bras. Ma mère, tout bonnement, tenait ses deux pieds embrassés. Mon oncle le regardait impassible. Quant à moi, sa grosse voix me faisait plaisir. Je me sentais en sécurité derrière une pareille colère. Quelques voisins entrèrent chez nous et réussirent à le calmer. L'un d'eux venait justement de la part de l'amin qui nous demandait de l'attendre, de le recevoir en compagnie des tamens et de deux marabouts du village.

Sous la direction de ma grand'mère, les femmes se disposent immédiatement à préparer un grand couscous. La vieille tire non sans orgueil, du chouari [3] qui avait emporté le raisin à la ville, un grand chapelet de viande acheté par mon père.

— Nous verrons bien si ces lâches avares recevront l'honorable assemblée avec de la viande fraîche, comme nous, dit-elle en parlant de nos ennemis.

— Ils leur donneront des pois chiches, dit ma mère.

— Certainement ! nous sommes pauvres, nous, mais, Dieu merci, de toute ma vie vos maris n'ont jamais eu à rougir lorsqu'il s'est agi de recevoir un hôte. C'est à cela qu'on reconnaît les bonnes familles.

Evidemment. Mais si, par hasard, mon père n'avait pas acheté de la viande, ma grand'mère n'aurait pas été à court d'arguments et n'aurait pas cru devoir rougir en offrant, elle aussi, des pois chiches ou des fèves.

Tard dans la nuit, notre cousin Kaci fait grincer le vieux portail après avoir toussé. Il précède les notables de quelques minutes. Le Conseil de famille qu'il voulait réunir n'est plus nécessaire. Il entrevoit un arrangement. Il est soulagé. Il appellera simplement quelques vieux du quartier qui sont d'habiles orateurs — mon père acquiesce. Il sort. Ma mère, ma tante et mes cousines vont s'enfermer dans les petites pièces, face à la grande maison où viendront s'assembler les hommes. Ma grand'mère, seule, reste près du kanoun et insinue qu'elle ne pourra pas s'empêcher de dire son mot.

L'amin arrive bientôt suivi de deux marabouts et d'une dou-

---

3. Panier double que portent les bêtes de somme.

zaine de notables. Ils traversent la petite cour en file, d'un pas lent, drapés dans leur burnous, l'air sérieux et digne. Mon père leur souhaite la bienvenue et baise la tête des cheikhs sur leur capuchon pointu. Mon oncle est assis dans un coin, adossé à des oreillers. Les hommes laissent leurs souliers près de la porte et prennent place, en rond, sur notre grand tapis rouge. Mon père se tient debout contre un pilier de la soupente. Il est un peu embarrassé.

Après avoir énoncé la formule rituelle qui précède chaque discours, l'amin commence à parler. Mais il est interrompu par mon père.

— Vous êtes les bienvenus chez nous, les nuits sont longues, nous allons d'abord manger.

Les tamens esquissent quelques protestations pour la forme. Ils savent qu'ils doivent manger, avant ou après. Et même qu'ils mangeront deux fois, puisqu'en nous quittant, ils iront voir nos adversaires. Après tout, songent-ils peut-être, Ramdane a raison de tout faire commencer par le couscous. Il leur permet ainsi de digérer d'abord notre repas avant d'en prendre un second. Mon père, de son côté, a jugé la situation : il sait que lorsqu'on a goûté chez quelqu'un au pain et au sel, il est difficile de le trahir. Pour achever d'attirer sur nous la baraka [4], il donne à chacun des deux marabouts vingt-cinq francs. Tout le produit du malheureux chouari y passe. Cela ne fait rien. Tout le monde est à l'aise. Bon couscous, bonne viande, les cheikhs généreusement reçus, un bon café en perspective, après les discours. On pourra faire dire aux langues tout ce que l'on voudra. Le problème n'est pas très difficile. Il s'agit d'arranger des gens qui sont déjà parfaitement apaisés.

Ni les Aït Amer, ni mes parents, ne songent en effet à compliquer les choses. Mais chaque famille veut pour son honneur faire croire qu'elle est intraitable. Dans ces circonstances, les notables et les cheikhs prennent une attitude grave et soucieuse qui impressionne favorablement les intéressés.

— Pensez donc ! Les Menrad ne sont pas peu fiers d'avoir

---

4. Chance, bénédiction.

alerté toutes ces barbes blanches qui viennent chez eux pour essayer de détourner un orage. Il faut souhaiter qu'elles réussissent. — Au fond, personne n'est dupe. Les gens habitués à ces sortes d'arrangements savent qu'ils se traduisent, toujours, par deux repas plantureux et un pourboire variant avec l'importance des chefs.

Donc, après avoir mangé et bu consciencieusement, ils décident de donner la fatiha : une fatiha pour les vivants, une pour les morts, une pour les divinités, une pour les récoltes et une pour le renom de la famille. Cette dernière étant la mieux agréée par ma grand'mère qui en glousse d'extase.

Respectueux de la forme, l'amin se fait raconter l'histoire par mon oncle. Voilà : « Fouroulou arrive à la maison à moitié mort. Je vais demander des explications à Boussad, il me répond de travers. Nous nous battons. Leur quartier étant près de la djema, tous les Aït Amer sortent. Je reçois un coup de couteau. Les nôtres arrivent. C'est la mêlée. Puis vous arrivez tous ». C'est clair et précis. D'ailleurs chacun est au courant des moindres détails. Le premier qui parle nous donne raison apparemment, comme il donnera raison, tout à l'heure, aux autres. Ceux qui parlent après lui répètent à peu près la même chose. Ils n'apportent de la variété que dans les parenthèses qu'ils ouvrent, les comparaisons dont ils se servent, les rapprochements que leur suggère la situation. La parole est aux cheikhs ! L'un d'eux sort un vieux livre en arabe tout noir de fumée, enveloppé dans un mouchoir. Il lit quelque chose d'incompréhensible, appelle sur nous la baraka puis, sans transition, les foudres du ciel si nous ne nous apaisons pas. Instantanément, ma grand'mère tremblante va effleurer le livre saint de ses lèvres timides. Mon oncle est tenu de jurer, la main sur le vieux parchemin, de ne plus chercher à ranimer la querelle. On obtiendra le même serment de l'autre côté. Il est inutile d'aller à la justice française qui compliquerait tout. Mais comme il y a eu du sang versé, le Caïd voudra savoir ce qui s'est passé, L'amin se charge de le calmer moyennant cent francs qu'il donnera de sa poche jusqu'à ce que nous le remboursions, les Aït Amer et nous.

36

On nous explique tout cela. Mon oncle garde un silence gros de réflexions intimes ; mon père est convaincu. Quant à nos relations futures avec nos adversaires du matin, personne ne s'en soucie. L'essentiel, c'est qu'on ne se batte plus.

Les notables sortent pour aller « apaiser » les Aït Amer comme ils viennent de nous « apaiser » et nous nous réveillons le lendemain, les uns et les autres, officiellement ennemis. Nous avons payé assez cher pour cela.

Désormais nous ne nous parlerons plus, nous ne nous rendrons plus de services et Boussad ne risque plus, avant longtemps, de me revoir en face de lui, prenant des leçons gratuites de vannerie kabyle.

VI

MES DEUX TANTES maternelles habitaient la même rue que
mes parents. Mon grand-père Ahmed les avait laissées
dans une petite maison sans étable et sans soupente.
Dans un coin de la maisonnette trône un akoufi ventru que mes
tantes n'ont jamais réussi à emplir. La toiture est basse, la porte
n'a qu'un seul battant, la largeur de la courette ne dépasse pas
la taille d'un homme et sa longueur est celle de la façade. On
s'y trouve à l'étroit ainsi que des roitelets dans leur nid rond et
obscur. Mais on y sent une douce chaleur d'intimité discrète et
tranquille. Les murs qui vous frôlent à chacun de vos mouve-
ments semblent vous caresser et les objets vous sourient dans la
pénombre. Non, elle n'avait rien de triste la chère prison de
mon enfance, les moments que j'y passais me paraissent trop
courts.

Je ne sus le nom de chacune de mes tantes qu'après les avoir
bien connues elles-mêmes. Le nom ne signifiait rien. C'était
comme pour mes parents. Je me rappelle avoir appris avec une
surprise amusée, de la bouche de ma petite cousine, que son
père s'appelle Lounis, le mien Ramdane, ma mère Fatma, la

sienne Helima. Je compris tout de suite, cependant, que c'étaient les autres qui les désignaient ainsi et que dans la famille nous avions des mots plus doux qui n'appartenaient qu'à nous. Pour moi, mes tantes s'appelaient Khalti et Nana.

Khalti était l'aînée. Elle me paraissait très grande. Plus grande que ma mère à laquelle elle ressemblait un peu. Elle avait un visage allongé et osseux avec des pommettes bien rouges, un profil de chèvre capricieuse embelli par de grands yeux noirs et une impressionnante chevelure qu'elle n'arrivait pas à discipliner sous son foulard et qui s'échappait souvent en tresses désordonnées sur ses épaules. Elle était aussi sauvage et fière d'allure que ma mère était humble et soumise.

J'avais donné à l'autre le doux nom de Nana. Elle avait vingt ans lorsque j'en avais six. Elle était du même âge que ma cousine Djouher et aussi de la même taille. Néanmoins ses sœurs s'accordaient à la déclarer plus belle. En tout cas, elle était infiniment plus douce. Elle était aimée de toutes les femmes du quartier qui l'appelaient « notre Yamina ». Son père l'avait gâtée, ses deux sœurs lui avaient servi de mère. Elle avait pris l'habitude de se faire obéir. Il vint un moment où ses sœurs ne purent rien décider sans elle. Fatma, mère de famille, recevait ses instructions ; Khalti ne discutait jamais ses ordres. Quand j'y réfléchis, à présent, je reconnais que ma mère et Khalti furent bien inspirées en se soumettant à Nana. Ma mère, que les chagrins et les soucis n'avaient point ménagée depuis la mort de ma grand'mère, puis de mon grand-père, était devenue une pauvre créature timorée, irrésolue, incapable de prendre parti ; une fois qu'elle avait émis timidement quelques objections que lui suggérait son bon sens ou son expérience de la vie, elle s'inclinait et ne contrariait jamais ceux qu'elle aimait. Quant à Khalti, elle ne péchait pas par excès de bon sens. Elle était aussi impulsive que mon oncle Lounis, mais lui, au moins, raisonnait. Khalti sortait souvent du sens commun. Elle était incapable de se maîtriser. Lorsqu'on a affaire à de pareilles gens, les relations de bon voisinage deviennent très précaires. Khalti, plus d'une fois, faillit faire perdre aux filles d'Ahmed l'estime des cousins. Ni les larmes

39

hypocrites de ma mère, ni le morne silence de mon père, ni l'appui partial de mon oncle — qui défendait toujours Khalti — n'auraient arrangé les choses. Heureusement « notre Yamina » était là. En considération de sa douceur, Kaci pardonnait à Khalti d'avoir rossé sa femme ; le cousin Arab, d'avoir été injurié ; la femme d'Amar, un autre parent, faisait la sourde oreille à la provocation. Elle était si affable, Nana ! Sa voix avait le don de calmer les voisins.

— N'écoutez pas Khalti, cousins ! C'est notre folle. C'est votre folle. Il faut la supporter. Reprochez-moi quoi que ce soit ! Et à Fatma aussi. Mais laissez-la déraisonner, elle s'en repentira dans une minute !

Et c'était vrai. Khalti regrettait toujours sa précipitation. Alors elle se mortifiait, elle pleurait et essayait de réparer. Elle y réussissait toujours car ses manières étaient inimitables. Elle faisait toutes les avances, se condamnait avec passion, accordait son affection avec le même sans-gêne qu'elle l'avait retirée la veille, déconcertait son adversaire qui se demandait vraiment s'il n'avait pas affaire à une folle. Généralement on s'y laissait prendre ; on pardonnait avec la certitude qu'on aurait à pardonner encore. Voilà comment Khalti arrangeait et troublait sans cesse ses relations. En définitive, cette façon de se conduire lui fit beaucoup de tort. Nous avons un terme aimable pour désigner ces sortes de gens : quelque chose entre fou et candide, sans rien de péjoratif. Ont droit à ce titre tous ceux qui ne savent pas dissimuler et qui sont trop sensibles, qui sont sévères pour eux-mêmes et craignent de chagriner autrui, qui oublient leur intérêt et se nuisent par peur de nuire. En général, lorsque des personnes bien sensées les jugent, elles disent : « Ce sont des enfants ! » Khalti était une enfant. Elle devait le rester jusqu'à sa mort. Aussi ne tenait-on jamais compte de ce qu'elle disait ou de ce qu'elle voulait faire. Elle se soumettait toujours aux ordres de Nana avec la mauvaise humeur d'un gamin irascible. De même qu'un enfant, elle était servie par une grande intuition. Parfois, on l'aurait crue douée d'un sens supplémentaire qui lui permettait de deviner à coup sûr les intentions d'autrui à son égard ou à

40

Khalti

l'égard de ceux qu'elle aimait : un regard, un geste, un mot, un changement imperceptible d'attitude suffisaient pour l'avertir. Mais elle n'avait même pas l'idée d'exploiter cet avantage et d'en tirer quelque autorité. Non, elle gardait pour elle ses impressions ; elle ne pouvait pas les expliquer, il était inutile de les faire partager. Souvent aussi, elle ne pouvait pas refréner un flot de sentiments ; elle laissait déborder sa joie ou sa rancune, son affection ou sa haine. Puis tout rentrait dans l'ordre.

Le caractère de Khalti convenait très bien au petit Fouroulou. Nous nous comprenions à merveille. J'aimais tendrement Nana qui n'avait que des caresses pour moi. Elle me cajolait, m'embrassait sans cesse, me gavait et m'obéissait. Khalti entendait autrement nos relations. J'étais pour elle un personnage comme un autre. Nous avions, en quelque sorte, des rapports d'égal à égal. Elle prétendait discuter avec moi, me faire entendre raison, se fâcher s'il le fallait ou se ranger à mon avis lorsqu'elle croyait que mon avis était bon. Cette façon de voir me plaisait beaucoup. Nous nous disputions et nous déraisonnions avec le plus grand sérieux. Nous devînmes de vrais camarades.

Ce fut ma sœur Baya qui m'introduisit chez mes tantes. D'abord elle m'y portait sur son dos, lorsque j'avais deux ou trois ans, pour me distraire, pendant que ma mère s'occupait du ménage. Ensuite, quand je pus marcher, mes premiers pas me conduisaient d'instinct au petit logis de mes tantes comme au seul hâvre sûr qui existât pour moi hors de notre maison. Baya, de son côté, prit de bonne heure l'habitude de vivre avec ses tantes. Nous formâmes bientôt une petite famille en marge de la grande, un cercle intime et égoïste, avec nos petits secrets, nos rêves naïfs, nos jeux puérils, nos querelles vite dissipées dans une atmosphère de tendresse.

Mes tantes travaillaient l'argile et la laine. La courette était toujours encombrée de poterie. Voici, à l'angle, près du portail, un gros tas de bois qui servira à la cuisson. L'argile se travaille dès le printemps. Baya et Khalti vont la chercher dans des paniers, à plusieurs kilomètres du village. Les mottes sèchent au soleil dans la cour, puis elles sont écrasées et réduites en pous-

41

sière. Avec cette poussière imbibée d'eau, mes tantes font une pâte dont elles emplissent des jarres. La pâte devient consistante au bout de deux jours. Il faut alors la malaxer vigoureusement et lui incorporer les débris d'un vieil ustensile broyé. Les grains de terre cuite ainsi ajoutés forment avec l'argile fraîche une pâte qui ne fendra pas. Il est temps de modeler.

Khalti, le bas de sa gandoura tiré jusque sur les genoux, les bras nus, le foulard relevé en turban, dépose un gros paquet de pâte sur une planche. Elle façonne vivement le fond de la cruche, de la marmite ou du plat. C'est toujours une galette bien ronde. Khalti est attentive, elle travaille vite. Je sais qu'il ne faut pas lui parler. Ce n'est pas le moment. Nana, souriante et très à l'aise, saisit l'argile entre ses petites mains pâles, triture, tâte, caresse : de ses doigts agiles sort une espèce de bâton qui s'allonge, vacille et zigzague comme un serpent. Lorsqu'elle juge suffisante la longueur, elle s'arrête, coupe la couleuvre en tronçons et, avec précaution, entoure la galette préparée par Khalti. Alors, munie d'une planchette bien lisse, elle tire l'argile, amincit le tronçon qui monte et dessine bientôt le bas de la paroi. Elle passe au fond suivant puis à un autre encore, ne tarde guère à rattraper sa sœur.

Mes tantes ne préparent que trois ou quatre ustensiles à la fois, parce que la cour est exiguë. Le dernier ustensile ébauché, Nana revient au premier qui a déjà séché un peu — nous disons qu'il a bu. Elle prend de nouveau un cylindre de pâte et l'ajoute à l'ébauche. Puis, à l'aide de la raclette, elle aplatit, tire, polit, amincit l'argile, supprime les bavures. Les parois montent petit à petit, la marmite ou la cruche se dessine. La main droite tient la raclette et façonne l'intérieur, la main gauche surveille l'extérieur qu'elle caresse continuellement pour l'obliger à prendre forme. Khalti ne fait pas seulement les fonds de marmite. Elle travaille aussi bien que Nana. Mais de l'avis de tous, les cruches qui sortent des mains de Nana ont un cachet spécial. Elles sont toujours bien proportionnées, leurs lignes harmonieuses, leur col élancé, leur légèreté et la finesse de leurs ornements les font préférer par toutes les élégantes du village. Tant il est vrai que

42

ce que nous réalisons est toujours le miroir de ce que nous sommes.

Chaque potière a son style particulier. Il suffit de présenter un objet quelconque aux moins initiées d'entre elles, elles indiquent immédiatement les mains d'où il sort. Sur ses rivales, Nana a une supériorité évidente relevée par sa modestie et sa douceur. Aussi a-t-elle une grande réputation et beaucoup de clientes. Khalti n'est pas jalouse, elle est la première à admirer sa sœur. Elle lui laisse le travail fin pour s'occuper des jarres, des larges plats à couscous et des marmites.

Bientôt la courette et la maison sont encombrées de pots et de casseroles qui envahissent les étagères et grimpent sur le gros akoufi. C'est à ce moment qu'il nous faut mesurer nos gestes et bouger avec précaution. Mais ni Baya ni moi ne songeons à abandonner nos tantes. Nous sommes là pour regarder. Khalti est souvent de mauvaise humeur, mais Nana ne se trouble jamais. Chaque ustensile a sa petite histoire, son caractère. Il naît et se développe accompagné de notre estime ou de notre mépris. Parfois sous nos rires moqueurs, Khalti, impatientée et menaçante, écrase avec dépit une ébauche disgracieuse qui s'aplatit lamentablement sur la planche en un paquet informe. Nous nous abritons en riant derrière quelque grosse jarre qui n'attend qu'un prétexte pour tomber et Khalti se calme sur-le-champ.

Une fois ce travail de création achevé, mes tantes peuvent respirer. Le reste est un amusement agréable. Lorsque les ustensiles sont secs, il faut les décorer. La terre glaise employée à leur fabrication est jaunâtre ou rouge. Les cruches, les pots, les jarres et en général tous les objets qui ne doivent pas aller sur le feu sont enduits d'une couche d'argile blanche qu'on frotte avec un galet. Le polissage n'est pas compliqué. Baya et même Titi se voient confier tantôt une gargoulette, tantôt leur propre cruche. Il faut apprendre à s'appliquer. C'est sur ce fond lisse, blanc et brillant, que Nana et Khalti font leurs dessins. Les larges ceintures, les losanges, les carrés et les cercles sont tracés en rouge avec un grossier pinceau de laine. Quant aux traits noirs, fins et droits, nul ne sait les tirer comme Nana avec des crins indisciplinés. Il faut une patience et une délicatesse de fée pour manier ce capricieux pinceau fait de quelques crins de mulet, ce cheveu flexible qui se tortille et promène un peu au hasard sa gouttelette noire sur une surface immaculée. Nana réussit les angles avec la précision d'un géomètre ; elle réalise d'élégants damiers, elle sertit dans un liséré infaillible tous les gros dessins rouges plaqués par Khalti qui tient le pinceau de laine. Tout ce travail occupe mes tantes pendant le printemps. L'été est le moment le plus favorable pour la cuisson. Elles n'ont pas besoin d'attendre. Le tas de bois est préparé depuis longtemps. Le jour de la cuisson est un grand jour. Il est fixé à l'avance avec la plus grande circonspection. Il ne peut être ni un jeudi, ni un vendredi, car il ne faut pas contrarier le prophète. L'usage élimine le lundi pour des raisons obscures. De mémoire de potière, les meilleures cuissons s'obtiennent le mardi ou le mercredi, pourvu que les conditions atmosphériques soient favorables : il faut un ciel pur, un temps sec. La moindre brise peut causer des dégâts car l'opération a lieu en plein air, en dehors du village. Malgré toutes ces précautions, les potières savent qu'il y a des risques : l'inexplicable, l'imprévisible, la chance ou le hasard. Quand le feu est allumé, le cœur se serre d'angoisse. Parfois le bûcher crépite, des ustensiles éclatent comme des pétards, le travail d'une saison se récolte en débris tordus par le feu ou en vases craquelés, lézardés, inutilisables. Alors il ne reste plus qu'à pleurer.

Lorsque la cuisson est réussie, ma mère et mon père partagent la joie de mes tantes. Nous savons que le grain montera assez haut dans le gros akoufi. En effet, les petits objets sont troqués contre ce qu'ils peuvent contenir d'orge ; les cruches sont cédées pour une demi-mesure (un décalitre), les grandes jarres pour une mesure entière. Du coup, mes tantes amassent de quoi passer l'hiver. Mon père est rassuré sur leur compte. Il feint de ne pas s'apercevoir que ses enfants en profiteront. Mais sa façon d'aider discrètement ses belles-sœurs dans leur entreprise indique bien qu'il s'intéresse à la réussite. C'est lui qui trouve et prépare le gros bois, qui engage ma mère et Baya à porter l'argile et à décharger mes tantes des menus soucis domestiques. Le jour de la cuisson, il veille sans en avoir l'air pour garder le bois déposé la nuit à l'emplacement choisi. A l'aube, mes tantes le trouvent sur place, il assiste à l'allumage. Une fois les ustensiles cuits, il y a toujours affluence de femmes et de filles qui veulent aider à les transporter, mais qui n'hésiteraient pas à en voler. Mes tantes perdent la tête dans ce beau tumulte. Mais mon père est là, un peu à l'écart. Rien ne lui échappe.

L'échange des ustensiles ne prend guère de temps. Au bout de quelques jours, la maison se vide, l'orge est enfermée et nous nous retrouvons au large chez mes tantes.

En effet, le travail de la laine est un travail de fourmi, mais il ne demande pas trop de place. Le métier à tisser est tendu verticalement sur deux perches, à faible distance du mur. Il peut rester là aussi longtemps que l'on veut. Mes tantes y passent en quelque sorte leurs moments perdus. Elles s'assoient, alors, le dos appuyé au mur, introduisent les brins de la trame entre les fils de la chaîne et tassent avec un peigne de fer. C'est une occupation qui n'empêche pas les bavardages. Lorsque le métier n'est pas encore dressé, mes tantes sont occupées soit au cardage de la laine lavée, soit au filage de la chaîne à l'aide de la quenouille et du fuseau.

Nana est très adroite. Ses fils de chaîne sont durs et aussi fins que des cheveux. Elle sait reproduire sur le tissu toutes les lignes qu'elle dessine sur les cruches. Khalti est encore plus nerveuse devant la laine que devant l'argile. J'entends encore ses coups de peigne, au bruit sourd et précipité, avec des arrêts brusques, des reprises inattendues, une allure saccadée de machine récalcitrante. Lorsqu'elle s'arrête, c'est qu'elle a rompu un fil de la chaîne, il faut nouer les bouts. Nana n'est pas contente, mais si elle le montre trop, Khalti se lève et abandonne la partie. Alors on n'entend plus que le choc harmonieux du peigne de Nana. On est sûr qu'il se fait du bon travail. Souvent Nana veille, pour avancer son ouvrage, à la pâle lueur d'une lampe à pétrole, fumeuse et malodorante. Combien de fois me suis-je endormi, entre Khalti et Baya, bercé par le tambourinage familier du peigne ?

Quand le sommeil ne vient pas, pendant que Nana travaille, nous racontons des histoires.

Je dois dire que ces histoires m'attiraient beaucoup chez mes tantes. Mon père et ma mère ne nous en racontaient jamais. Veiller avec eux n'avait rien d'agréable. Ce n'étaient que calculs, projets, discussions auxquels je ne comprenais rien et qui ne réconfortaient personne. Parfois c'étaient des critiques ou des médisances qui me faisaient haïr un voisin ou un parent. Avec Khalti c'était différent. Pendant les récits, nous étions elle et moi des êtres à part. Elle savait créer de toute pièce un domaine imaginaire sur lequel nous régnions. Je devenais arbitre et soutien du pauvre orphelin qui veut épouser une princesse ; j'assistais tout-puissant au triomphe du petit M'Quidech qui a vaincu l'Ogresse ; je soufflais de sages répliques au Hechaïchi qui tente d'éviter les pièges du sultan sanguinaire. Ils sont loin, les fronts soucieux et les soupirs de mes parents, par les interminables nuits d'hiver. L'histoire coule de la bouche de Khalti et je la bois avidement. C'est ainsi que j'ai fait connaissance avec la morale et le rêve. J'ai vu le juste et le méchant, le puissant et le faible, le rusé et le simple. Ma tante pouvait me faire rire ou pleurer. Certes je n'aurais jamais compati d'aussi bon cœur à un vrai malheur familial. Le destin de mes héros me préoccupait davantage que les soucis de mes parents. Tout cela parce que ma tante s'y laissait prendre elle-même. A l'entendre raconter, on sentait qu'elle croyait à ce qu'elle disait. Elle riait ou pleurait tout comme son neveu. Lorsque le dénouement était trop triste, nous nous couchions avec la même impression d'angoisse et je me serrais peureusement contre elle. Elle avait la tête farcie de superstitions. Bientôt je fus aussi bien renseigné qu'elle sur les revenants, la mule ou l'outre des morts, le cri anniversaire des assassinés, les processions de fantômes qui annoncent les épidémies. Je connus les métamorphoses de la perdrix, du chardonneret, du singe ou du hibou. Mon imagination acceptait tout avec plaisir. Je pouvais tout entendre bien à l'abri sous les couvertures, entre Baya et Khalti, la porte et le portail ayant été précautionneusement fermés depuis la tombée de la nuit. Mais quand, par hasard, je mettais le nez dehors, je sentais mes cheveux se dresser, j'avais la chair de poule, je courais comme un fou ou bien j'étais cloué sur place par la terreur. Je me voyais escorté par quelque fantôme, je croyais entendre des voix et des pas qui me poursuivaient. Oh ! j'ai bien payé la joie d'entendre conter Khalti puisque même à présent je n'ai pas pu me défaire de certaines frayeurs. J'ai beau me raisonner, je ne vaincrai jamais l'espèce de répulsion que j'éprouve en face des morts. Je ne traverserai jamais, la nuit, avec tout mon sang-froid, le grand cimetière de Tizi. Le hululement des oiseaux nocturnes me paraîtra toujours lugubre et chargé de mélancolie sinon de mauvais présages.

Néanmoins je suis reconnaissant à Khalti de m'avoir appris de bonne heure à rêver, à aimer créer pour moi-même un monde à ma convenance, un pays de chimères où je suis seul à pouvoir pénétrer.

entrée à l'école

VII

JE ME SOUVIENS, comme si cela datait d'hier, de mon entrée à l'école. Un matin, mon père arriva de la djema avec un petit air mystérieux et ému. J'étais dans notre cour crépie à la bouse de vache, près d'un kanoun où se trouvait une casserole de lait. Ma mère venait de rentrer à la maison. Elle allait prendre une pincée de sel et une motte de couscous, pour apprêter mon déjeuner du matin. Je dois préciser, d'ailleurs, que pareil déjeuner ne m'était accordé qu'exceptionnellement. Il fallait, pour cela, la conjonction de plusieurs circonstances : d'abord avoir du couscous, puis du lait, ensuite choisir le moment, attendre notamment l'absence de ma petite sœur car elle aurait revendiqué sa part de l'aubaine ; ce qui aurait obligé ma mère à augmenter la dose commune ou à exciter notre gourmandise sans la satisfaire complètement. Donc, ce matin-là, toutes les conditions étant réunies, je trônais seul, face à la casserole, les yeux encore pleins de sommeil mais le ventre parfaitement éveillé.

Hélas ! il était écrit, sans doute, que j'apprendrais de bonne heure que certaines choses coupent l'appétit. En effet, lorsque mon père parla, l'envie de manger s'envola en même temps que mon sommeil. Mon père n'avait pas son pareil pour effrayer les gens.

— Vite, vite, dit-il à ma mère, lave-le entièrement, les mains, la figure, le cou, les pieds. Crois-tu que le cheikh acceptera un singe pareil ?

— Il y a aussi sa gandoura qui est sale, dit ma mère. Il faudrait peut-être attendre demain. Je la laverai ainsi que son burnous.

Vous pensez si j'ouvris les oreilles à cette proposition !

— Demain, toutes les places seront prises. Et puis, il vaut mieux ne pas commencer l'école par des absences. On dit qu'ils sont sévères, les roumis, et nous n'avons que lui. Il ne faut pas qu'il reçoive des coups par notre faute. D'ailleurs, inutile d'arriver en retard aujourd'hui. Dépêchons-nous !

Je fus débarbouillé en hâte et cinq minutes après, encore abasourdi, je débarquai dans la vaste cour de l'école, toute grouillante d'élèves... à cent lieues de mon déjeuner. Seule dans la famille, ma petite sœur Titi fêta l'événement en s'octroyant la casserole de couscous au lait. Elle marqua cette journée d'une pierre blanche, tant il est vrai que le bonheur des uns...

Ma première journée de classe, ma première semaine et même ma première année ont laissé dans ma mémoire très peu de traces. J'ai beau fouiller parmi mes souvenirs, je ne retrouve rien de clair. Nous avions deux maîtres, kabyles tous les deux : l'un gros, court, joufflu avec de petits yeux rieurs qui n'inspiraient aucune crainte ; l'autre mince, pâle, un peu taciturne avec son nez long et ses grosses lèvres, mais aussi sympathique que le premier. C'était le plus jeune et il s'occupait de la deuxième classe. Ils portaient tous deux des costumes français sous un burnous fin et éclatant de blancheur. Cette tenue m'a paru, pendant longtemps, avoir atteint l'extrême limite du goût, de l'élégance et du luxe. Quant aux maîtres eux-mêmes, ils constituent jusqu'à présent, pour moi, sans que je puisse m'en empêcher, la double image sous laquelle je me représente invariablement l'instituteur indigène, le directeur et son adjoint.

Je serais très embarrassé de dire si je fus bon ou mauvais élève, si j'appris beaucoup ou peu. Du moins, je n'éprouvai aucune répugnance à être écolier. Mon camarade Akli, qui était resté mon protecteur, m'avait devancé d'un an dans cette nouvelle situation. Il était fier de son ancienneté et offrit à ma mère de me faire bénéficier de son expérience. Tous les matins, il m'appelait, m'attendait devant la porte et nous dégringolions ensemble jusqu'à l'école. Il me ramenait à onze heures tout rayonnant d'orgueil. Mais c'était un orgueil légitime, reflet du devoir accompli. Quelquefois, il participait à mon repas. Souvent, il recevait une poignée de figues qu'il avait pris l'habitude de ne plus refuser, ayant conscience de les avoir gagnées. De fait, grâce à lui, j'étais devenu tabou pour la plupart des gamins de notre âge, qui le craignaient. Quant aux grands, ils nous laissaient tranquilles car nous avions parmi eux son frère qui était en première classe. Si je rappelle que j'étais craintif et doux par nature, ne cherchant chicane à personne, que notre quartier fournissait une quinzaine d'élèves dont beaucoup de grands et que l'esprit de çof était aussi vivace dans nos cœurs que chez les grandes personnes, on comprendra pourquoi je n'ai pas manqué de défenseurs et pourquoi le fils unique que j'étais n'a pas rencontré tous les désagréments qui attendent généralement en classe les enfants gâtés.

J'allais à l'école sans arrière-pensée. Simplement parce que tous les enfants y allaient. Le meilleur moment de la journée était sans conteste onze heures, lorsque nous remontions essoufflés vers le couscous qui nous attendait chez nous. Evidemment, il y avait aussi les jeux, mais on n'avait pas besoin d'aller à l'école pour jouer. J'ai su par la suite qu'on peut donner dans les écoles un enseignement attrayant, qu'on peut instruire les enfants en les amusant, qu'il y a des méthodes pour diminuer l'effort de l'élève, pour éveiller son attention. Cela se peut, les grandes personnes disent tant de belles choses. Je crois franchement qu'un petit Kabyle de sept ans n'a pas besoin de tout cela. Il est attentif par crainte et par amour-propre. Il s'agit d'éviter les coups du maître et les moqueries du voisin qui sait lire. Plus tard, bien sûr, l'intérêt s'éveille et remplace la crainte. Alors on commence à comprendre. C'est ce qui m'arriva, je crois bien. Ceux qui ne

50

comprennent pas s'habituent aux coups qu'ils ne craignent plus et placent leur amour-propre en dehors de la classe : ils sont bons joueurs ou bons « bagarreurs ». Sortis de la classe, nous ne songions jamais à tirer vanité de nos acquisitions. Notre chef de jeux dans le quartier était un garçon teigneux qu'on n'avait pas voulu admettre à l'école. Il ne se croyait pas en état d'infériorité par rapport à nous. Il avait raison. Nos parents et nos maîtres ne paraissaient pas attacher une grande importance à ce que nous faisions à l'école. Aussi les jeux étaient-ils notre occupation essentielle. Nous avions établi un cycle qui revenait à peu près tous les ans. Cela débutait en octobre par les billes, les glands ou les boutons — on dévastait alors toutes les vieilles chemises, vestes, gilets —. Puis c'était le tour des toupies : toupies enflées et nonchalantes achetées à la ville, longues toupies kabyles fabriquées par nos parents et qui se trémoussaient allègrement en s'accompagnant d'une musique stridente. Au printemps, nous fabriquons des pistolets avec un bois rare que l'on allait chercher à la rivière. Ensuite on passait aux cerceaux, aux osselets, aux flûtes. Ce sont ces dernières qui m'ont laissé un souvenir ineffaçable.

Un soir, après quatre heures, ayant passé le reste de la journée avec des camarades, en dehors du village, je revenais à la maison, une petite flûte entre les doigts, essayant avec acharnement de retrouver un air que je venais d'apprendre. Mon père était sur le seuil de la porte, délaçant ses mocassins. Il arrivait du champ. Ma mère m'avait vainement recherché pour lui faire une commission et avait dû se plaindre de mon absence.

— Le voilà, dit-il, n'aie crainte, il te revient. Et avec une flûte ! Dieu merci, s'il n'apprend rien à l'école, il ne perd pas son temps avec ses camarades.

— Ah ! dit mon père. Je ne m'étonne plus que ton maître se plaigne de toi. Je le vois bien, tu es dissipé. C'est à cause de ta paresse qu'il ne t'a pas changé de division, il me l'a dit.

C'était en effet ma deuxième année d'école et j'étais toujours dans le même cours. Cette révélation inattendue me surprit beaucoup. Apparemment, le maître avait parlé de moi à mon père.

Moi qui croyais passer inaperçu parmi la cinquantaine de camarades qui formaient la classe, voilà qu'il se rendait compte de mon travail, qu'il me connaissait particulièrement, qu'il connaissait mon père ! C'était donc qu'il connaissait tous ses élèves ! Certainement, il aimait les bons et détestait les mauvais. Pourtant, il n'y avait aucun indice visible qui montrât qu'il nous différenciait. J'avais beau réfléchir, je ne trouvais pas. Tant pis, il fallait se rendre à l'évidence. Il avait dit à mon père que j'étais un mauvais élève... Mon père pensait m'avoir fait de la peine par le ton sévère qu'il avait pris. Au fond, j'étais presque heureux de constater qu'il s'intéressait à ce que je faisais, qu'il était peiné de me voir parmi les traînards et qu'il partageait cette peine avec le maître. Cette petite réprimande me fit prendre mon rôle au sérieux. J'exagérai mon importance. En réalité, mon père était plus fâché de ma flânerie que de ma mauvaise place à l'école. Je suis bien certain que c'est tout à fait par hasard, au cours d'une conversation ordinaire, grâce à une association d'idées quelconque, que l'instituteur avait parlé de moi à mon père. N'empêche ! Cette scène décida de mon avenir d'écolier : à partir de ce jour, je devins bon élève, presque sans effort.

Et c'était le seul rôle qui me convenait. Chaque fois qu'on parle de spécialisation ou d'orientation professionnelle à l'école, je ne peux m'empêcher de sourire et de penser à la façon dont nous nous sommes spécialisés, mes camarades et moi. C'était bien simple. Il y avait les batailleurs, c'étaient les rois de l'école. Ils avaient notre admiration sans réserve. Il y avait les joueurs acharnés, mauvaise tête, bon pied bon œil, bruyants, insouciants et populaires. Aux paisibles et aux peureux qui se confondaient forcément, il restait les plaisirs nobles de l'étude et des meilleures places. Plaisirs d'autant plus nobles, à leurs yeux, que c'étaient les seuls qu'ils pouvaient rechercher. Etant pacifique de naissance, je ne pouvais poser ma candidature ni à la première catégorie, ni à la seconde. Avec le consentement de tous mes camarades, je devins donc bon élève. Beaucoup s'acharnèrent plus que moi-même à me voir le premier de ma division, car souvent le prestige du clôf entra en jeu.

Dès le cours élémentaire, je travaillai donc avec un imperturbable sérieux, à l'insu de mes parents qui continuaient à manifester pour mes progrès la plus grande indifférence. Mon maître qui constata ces progrès eut-il jamais l'occasion d'en parler à mon père ? Je n'en sais rien. Les pères de famille qui passent leur temps à essayer de satisfaire les petits ventres peuvent-ils s'occuper également des petites cervelles ?...

pauvreté / richesse

VIII

MON PÈRE, en effet, avait beaucoup de soucis pour faire vivre sa famille. Je n'outrepasse pas la vérité en disant que la seule utilité visible de ma scolarisation était mon absence prolongée de la maison qui réduisait la quantité de figues et de couscous que je mangeais. Je me souviens bien, à ce propos, des plaintes de ma mère pendant les grandes vacances et de son impatience à voir la fin des longs congés. Il lui fallait, à elle, beaucoup d'astuce et à mon père beaucoup de sueur pour joindre les deux bouts.

Les fils de Chabane n'avaient pas un grand héritage et guère de capital. Lorsque nous vivions en commun, ils travaillaient ferme du commencement de l'année à sa fin. Ils réussissaient à sauver les apparences et à faire croire qu'ils étaient dans l'aisance. Ma grand'mère menait la maison avec une grande sûreté et se faisait obéir.

Elle mourut subitement l'année-même où j'entrai à l'école. Je savais à peine ce que c'était que mourir. Elle fut pleurée médiocrement par ses deux belles-filles qui pensaient ainsi être plus libres. Ses enfants l'enterrèrent du mieux qu'ils purent. Elle fut veillée toute la nuit par une trentaine de vieux khaounis qui

p. 6-7 Islam

(13) mouton de l'**aïd**.

35 baraka

39 Khalti = chèvre
    (plus tard: bouc
                émissaire)

40 K. se mortifier.

46 K. chèvre + writer.

(55) mouton

(57) mouton/chèvres

(58) chèvres

67 mouton aïd / chèvre

72 K. légendes

74 K. se sacrifier

76 Dieu sans pitié, (Nana/bébé)

78 Khalti } Chap. XI
78-88   }

bouc   93 (kill
to cure
R's
illness ,

chèvre   101

~~chèvres~~
boeufs   110

Il te reste ~~les~~ les <u>chèvres</u>, comme nous 12?

Sa mère parla d'... une offrande...
mais... il saurait... que ne pourrait
influencer son destin   12?

Karoba: Ait Mezouz

Famille: Ait Moussa

Chabane — Tassadit

Khalti Nan

Louais — Halima

Ramdane — Fatma

chabha
Melkhir
Smina
Djouher

Fouroulou)
Titi
Baya

Dadar
(younger
brother)

mari
en Franc
Omar

psalmodièrent jusqu'au matin toutes sortes de chants religieux ; on égorgea un mouton et on servit du couscous aux pauvres de tout le village ; une douzaine de marabouts l'accompagnèrent au cimetière. Toute la pompe y était. Les vieux et les vieilles étaient presque jaloux de cet apparat et souhaitaient ouvertement que leurs enfants les expédiassent de la sorte dans l'éternité. Ce qui faisait plaisir à mes parents. D'autres disaient à la louange de la morte qu'elle était le vrai pilier de la maison. Je ne tardai pas à m'en apercevoir. Le soir-même de l'enterrement, ma mère et Helima se disputèrent les dépouilles de ma pauvre grand'-mère. J'en fus étonné, mais je remarquai que mon père et mon oncle acceptaient cette discussion. Ils y participèrent, chacun pour défendre sa femme.

Quelques jours après, il fallut confier la direction de la maison à l'une des deux femmes. Il y eut deux postulantes. La cabale s'en mêla. Les voisines excitaient, tour à tour, ma mère ou ma tante. Les sœurs de l'une et de l'autre apportaient également leur appui et leurs conseils. Finalement, mon père, en frère docile, parce qu'il était le cadet, accorda par respect cette charge à ma tante. Ce beau geste fit plaisir à mon oncle, mais ne toucha pas sa femme. Ma mère ne se tint pas pour battue. Elle voulait le partage. Au reste Helima ne désirait pas autre chose. Oh ! cela ne traîna guère. Ma tante ne tarda pas à voler, ma mère ne tarda pas à s'en apercevoir et à mettre mon père au courant. Lui-même ne tarda pas à la prendre la main dans le sac. Le sac, en l'occurence, était une jarre dans laquelle nous renfermions la viande sèche de l'aïd. Helima en tenait une grosse tranche dans sa main et cette tranche était destinée à aller ailleurs que dans la marmite familiale. L'orage éclata. Il fut prouvé que tout le monde voulait intimement le partage et en avait assez de vivre en commun dans cette maison d'où était bannie la confiance. Il était donc bien vrai que ma grand'mère était le pilier de la communauté puisque l'une a cessé d'exister presque en même temps que l'autre.

Qu'y avait-il à partager ? Pas grand'chose. D'abord une habitation. Mon oncle, auquel mon père, toujours par respect, laissa le choix, s'empara de la grande maison avec sa soupente contenant d'énormes ikoufan et une multitude de jarres. Sous la soupente, on pouvait loger deux bœufs, un âne et un mouton. Ma mère en pleura de dépit. Nous eûmes les deux petites chambres qui lui faisaient face et que nous dûmes réunir en une pièce unique, aussi grande que la première. La cour fut partagée avec une corde. Il y eut de part et d'autre un espace assez long mais bien étroit. Ensuite, on partagea un champ de figuiers, puis un champ d'oliviers, le plus équitablement possible, enlevant par ci, ajoutant par là, accordant un gros olivier ou un gros figuier, sis dans un lot, au propriétaire de l'autre lot, enchevêtrant les bornes, les plaçant, les arrachant, pendant une semaine. Enfin, on partagea aussi les ustensiles, les bêtes et les dettes.

Durant toute cette semaine, les épouses étaient affairées ; la joie se lisait sur leur visage ; elles recevaient de continuelles visites. Les voisines se succédaient chez elles pour leur souhaiter un heureux foyer.

— Fatma, disaient-elles à ma mère, sois contente, tu as ta maison bien à toi, tu peux supporter toutes les misères, tu peux manger de la terre. Va, ta mère était une sainte femme, qui ne t'a pas laissé de malédictions !

— Que Dieu te garde ceux qui te sont chers et me fasse, bientôt, venir chez toi pour me réjouir d'un événement heureux, répondait ma mère.

Et les politesses allaient leur train.

Pendant ce temps, les deux frères seuls restaient mélancoliques. Il leur semblait déjà sentir sur leurs épaules désunies, le poids doublement accru de leur charge. Ils pressentaient que l'avenir ne leur réserverait rien de bon, qu'ils venaient de s'appauvrir et que chacun d'eux avait perdu la moitié de ses forces. Les premiers jours qui suivirent le partage, ils prirent plaisir à s'inviter. Mon oncle m'appelait à chacun de ses repas. Helima, elle-même, se surprenait à vouloir gâter Fouroulou. Maintenant que l'irréparable était consommé, on aurait dit que tous le regrettaient un peu. Mais ils ne le regrettaient que dans la mesure où c'était justement irréparable. *« Je te pardonne à la charge que tu mour-*

pourvu que

ras », dit Géronte à Scapin. Les invitations s'espacèrent, les anciens griefs reprirent le dessus auxquels vinrent s'en ajouter d'autres provenant de notre voisinage au dedans et au dehors, sans compter les jalousies.

Les deux pères de famille avaient chacun fort à faire pour nourrir leur monde. S'ils ne se souhaitaient pas la misère réciproquement, ils étaient néanmoins incapables de s'entr'aider. Les mères, c'était autre chose. Etrangères l'une à l'autre, elles ne s'étaient jamais estimées. Elles ne tardèrent pas à devenir ennemies. Elles se mirent farouchement au travail, aidant le mari, dressant les enfants, tendant tous les efforts, affermissant toutes les volontés, vers un but suprême : montrer aux yeux de tous qu'on n'a rien perdu en partageant, qu'on est plus heureux qu'avant, surtout plus heureux que l'autre.

Mon père, un rude fellah, débroussaillait, défrichait sans cesse et plantait. Au bout de quelques années, nos parcelles changèrent d'aspect. En plus de cela, il entretenait une paire de bœufs, un âne, une chèvre, deux moutons. Les bœufs ne nous appartenaient pas. Un riche quelconque nous les confiait au printemps. Nous les engraissions et nous pouvions mettre en valeur nos propriétés. Vers le mois d'octobre, nous les vendions et il nous revenait le tiers du bénéfice. L'âne nous appartenait ainsi que les moutons et la chèvre. Le premier nous rendait beaucoup de services. Il portait sur son dos le bois et le sac d'herbe du champ Il y transportait le fumier ; il portait à la ville les charges de raisin ou de figues et rapportait de l'orge pour la famille, ou, pendant la saison des légumes, des piments, des courgettes, des pommes de terre que ma mère échangeait par platées avec les voisines, contre des céréales.

Les moutons étaient achetés tout petits, ils grandissaient, devenaient gras et à l'approche de l'aïd nous en vendions un qui rapportait généralement le capital engagé pour les deux. Et chaque année, mon père était fier d'égorger, sans avoir rien dépensé, un mouton en l'honneur du Prophète.

En plus de son lait, la chèvre donnait assez régulièrement un ou deux chevreaux que mon père vendait avec beaucoup de

plaisir. Il nous arrivait aussi d'en manger un. Un prétexte pour
le sacrifier venait très facilement : ma mère avait deux ou trois
maladies dont elle parlait souvent et qu'on ne voyait jamais. Et,
tout à fait par hasard, un derviche lui conseillait de tuer un chevreau qui avait précisément la couleur du nôtre. Si ce n'était ma
mère, c'était alors mon père qui venait d'attraper une insolation.
Or, tout le monde sait que cette maladie provient des djenouns
qui ne quittent le malade qu'après avoir vu couler le sang d'un
chevreau, d'un chevreau de la couleur du nôtre. Le troisième
gros personnage qui pouvait provoquer la mort du malheureux
cabri était le fils unique. Quant aux sœurs, leurs djenouns avaient
tout au plus la hardiesse de demander des œufs. Mon père se
faisait prier toute une semaine pour consentir à nous acheter,
tous les deux ou trois mois, de la viande au marché. Mais il était
toujours prêt à égorger le chevreau.

Il ressemblait d'ailleurs en cela à la plupart des fellahs. La
viande est une denrée très rare dans nos foyers. Ou plutôt non !
le couscous est la seule nourriture des gens de chez nous. On ne
peut, en effet, compter ni la louche de pois chiches ou de fèves
qu'on met dans la marmite avec un rien de graisse et trois litres
d'eau pour faire le bouillon, ni la cuillerée d'huile qu'on ajoute
à chaque repas, ni la poignée de figues qu'on grignote de temps
en temps dans les intervalles. A part cela, on a la faculté de se
verdir les gencives avec toutes les herbes mangeables que l'on
rencontre aux champs ; on est libre aussi de se remplir le ventre
à tous les ruisseaux limpides qui dégringolent des côteaux et
l'on peut, en guise de primeurs, manger toutes les prunes, les
pommes ou les poires encore vertes que les dents peuvent supporter. Nous sommes des montagnards, de *rudes* montagnards,
on nous le dit souvent. C'est peut-être une question d'hérédité.
C'est sûrement une question de sélection... naturelle. S'il naît
un individu chétif, il ne peut pas supporter le régime. Il est vite...
éliminé. S'il naît un individu robuste, il vit, il résiste. Il sera
peut-être chétif par la suite. Il s'adapte. C'est l'essentiel.

Pour en revenir aux Menrad, le père Ramdane réussissait avec
beaucoup de vigilance à assurer à sa maisonnée le maigre cous-

food

cous quotidien. Lorsque les travaux des champs étaient momentanément arrêtés, durant la période qui s'écoule par exemple entre la fenaison et la moisson, ou bien entre la moisson et le battage, il se faisait manœuvre et aidait comme journalier deux maçons qui construisaient pour les riches. Quand on a bâti au village le premier moulin à huile avec presse hydraulique, puits et pompe, mon père y a travaillé vingt-deux jours. Ces journées m'ont laissé aussi leur souvenir.

Les travaux avaient débuté au mois de juin, je crois. Nous étions encore à l'école. Le chantier se trouvait juste en face de chez nous, à une centaine de mètres. Il y avait là, en même temps que mon père, notre cousin Kaci — le père de Saïd — et Arab, le père d'Achour, un autre camarade d'école. Dès le premier jour, à onze heures, Saïd nous propose d'aller voir nos parents. Nous acquiesçons, Achour et moi. Nous avons compris à demi-mot ce que veut dire Saïd. N'est-ce pas à onze heures que le patron fait arrêter le travail pour le déjeuner ? C'est un homme instruit qui se pique d'avoir copié certains habitudes des Français : il mange à heure fixe. Ses employés aussi. Nous tombons sur eux, avec une louable exactitude, au même moment que les plats. Nos pères respectifs sont vivement contrariés. Mais le patron est généreux. Il nous ordonne de nous asseoir et nous mangeons, la tête basse. Nous mangeons quand même. D'abord une bonne soupe avec des pommes de terre, et nous recevons chacun un gros morceau de galette levée ; puis du couscous blanc de semoule, avec de la viande. Devant de telles richesses, la joie prend le pas sur la honte du début. C'est la joie animale de nos estomacs avides. Dès que ceux-ci sont pleins, nous nous sauvons, le front ruisselant de sueur, sans remercier personne, emportant dans nos mains ce qui nous reste de viande et de galette. Nous reprenons nos esprits un peu plus loin pour évaluer et comparer nos fortunes. Nous nous quittons après avoir félicité Saïd de sa bonne idée. A vrai dire, nos félicitations manquent de chaleur et Saïd les accepte sans trop de conviction. Chacun des gourmands voit se dresser devant ses yeux l'image sévère et quelque peu attristée de son père. Que dira-t-il le soir ?

la faim

Ainsi que je m'y attendais, mon père n'était pas content de moi. Il n'insista pas beaucoup pour ne pas me faire de peine et se promit de m'apporter chaque soir la plus grande partie de ce qui lui reviendrait de ces fameux repas. J'étais sûr de moi en décidant de ne plus jamais aller le voir au chantier. Il a tenu sa promesse et je n'ai pas tenu la mienne.

Le lendemain, à l'école, aucun des trois conspirateurs ne voulut faire allusion à ce qui s'était passé la veille. Comment Saïd et Achour ont-ils revu leur père ? Je n'ai pas osé le leur demander. Cependant, ils n'avaient pas l'habitude d'être gâtés... A onze heures, nous nous sommes évités mutuellement et chacun s'est dépêché d'aller manger son couscous d'orge. C'est ce qu'il nous fallait faire tous les jours. C'est ce que nous aurions fait sûrement s'il n'y avait pas eu cette sacrée soupe aux pommes de terre. Son souvenir nous suivait sans cesse. Nous en avions à chaque instant le goût dans la bouche. Le reste du repas ne venait qu'après, pour prolonger notre rêverie.

Deux jours après, pendant la récréation, Saïd n'y tenant plus m'accosta sans préambule et se mit à me parler de la soupe. Nos appréciations concordèrent. Nous fîmes venir l'eau à la bouche de nos auditeurs. Puisque c'était passé, nous pouvions bien en parler. Par exemple, ni lui ni moi, n'avions le courage de faire des projets d'avenir. Lequel de nous deux se risquerait à proposer une deuxième visite au chantier ? J'étais gourmand, mais je crois bien que Saïd l'était davantage. Avant de me voir, il était allé tâter le terrain du côté d'Achour. Ce dernier s'était montré peu enthousiaste ayant, peut-être, un souvenir trop vif de la réprimande qui avait suivi notre première équipée. On ne pouvait pas compter sur lui. Avec moi, tous les espoirs étaient permis. Saïd me « travailla » pendant toute la récréation. A onze heures, il se faufila jusqu'à moi dans la mêlée d'élèves et ne me quitta pas d'une semelle.

Nous arrivons au carrefour. Je m'arrête. Instinctivement je regarde du côté du pressoir. Saïd a déjà fait le même geste que moi. Il tourne la tête, nos regards se rencontrent, se comprennent, il me prend la main et nous courons comme des fous vers les ouvriers. Nous ne reprenons conscience qu'à dix mètres du chantier. Terrifiés de notre audace, nous essayons de nous cacher derrière une meule de paille. Trop tard ! ils nous ont vus. Le père Kaci nous interpelle avec colère et nous crie de faire demi-tour. Saïd part comme une flèche en direction de la maison. Mon père quitte son travail, se dirige calmement vers moi, me dit de ne pas bouger. Je reste planté là, plein de honte. Il me rejoint, me pose sa grosse main toute sale de mortier sur la tête et me dit :

— Laisse-le partir. Va à côté du père Kaci, tu mangeras à ma place. Je monte à la maison pour me reposer un peu. Aujourd'hui, je n'ai pas faim.

Ce repas, sous l'œil dédaigneux des hommes, fut un supplice pour moi. Kaci et Arab se moquaient de ceux qui ne savaient pas élever leurs enfants. L'allusion était directe, je rougissais et je pâlissais. Je me disais, pour diminuer ma faute, que mon père n'avait pas faim. Mais je dus me détromper car, en rentrant à la maison, je lui trouvais, entre les mains, mon petit plat en terre cuite, orné de triangles noirs et rouges. Il achevait de manger mon couscous noir. Ce jour-là, il retourna au travail le ventre à moitié vide, mais il grava, une fois pour toutes, dans le cœur de son fils, la mesure de sa tendresse.

filles de Helima {
جوهر Djouher
من الخير Melkhir
شمينة Smina

Les { calculs familiaux
شبحة Chabha

Baya
Titi

IX

JE COMPRENDS très bien à présent pourquoi ma mère et ma
tante Helima étaient aussi pressées l'une que l'autre de devenir maîtresses de maison. Rien n'échappait à leurs calculs.

Pour ma mère c'est simple : son mari est le cadet, donc il ne
récolte que les inconvénients de l'association. Il est plus jeune et
plus fort. C'est lui qui travaille. Il travaillera avec plus de courage lorsque ce sera pour son propre compte. Quant à elle-
même, elle se prétend plus sobre que Helima. Une chose est
certaine, c'est que ses enfants, plus jeunes que leurs cousines,
ne mangent pas autant. Il y a tout à gagner en s'isolant.

Helima devine dédaigneusement cette pauvre argumentation.
Si c'est Ramdane qui travaille, c'est Lounis qui a de bonnes relations, des amis qui peuvent l'aider. Il ne se passe jamais de
réunion à laquelle il n'assiste. C'est un homme « sage », son
mari. Et puis, rien ne dit qu'il ne maniera pas l'outil aussi bien
que son frère. Elle sait qu'elle l'aidera de son mieux, qu'elle le
remplacera au besoin : c'est pour ses filles et pour personne
d'autre. D'ailleurs les filles, elles-mêmes, sont grandes. Si elles
se marient, la dot n'appartiendra qu'à Lounis ; si elles restent,
elles ne chômeront pas.

62

Jewel ↙ ← cousine germaine de Four.

Djouher, l'aînée, a vingt ans au moment du partage. Fluette, nerveuse, des yeux pétillants de malice, une petite chatte qui griffe et qui mord, elle peut mener toute seule le ménage. Elle est la bête noire de ma mère qu'elle espionne et qu'elle calomnie.

Melkhir, un peu plus jeune est grosse et têtue. Elle a un peu les traits de mon père et beaucoup le caractère de sa mère. Lounis est sûr qu'elle ne se mariera jamais. Elle attire sur la famille toutes sortes de quolibets et des querelles quotidiennes. Helima s'est mis dans la tête de lui apprendre la poterie et le travail de la laine. Melkhir y réussira un jour malgré les plaisanteries de son père et la jalousie de ma mère.

Smina est du même âge que ma sœur Baya, notre aînée. Aussi sont-elles de permanentes rivales. Elles reproduisent avec un synchronisme parfait les disputes de leur mère. Ce sont d'infaillibles baromètres. Moi, je soupçonne ma sœur Baya de venger la lâcheté de ma mère sur la lâcheté de Smina. Smina appartient à cette catégorie de gens qui n'ont que leur langue pour convaincre de leur courage. Elle a deux gros yeux, une bouche très large qui semble faite pour parler abondamment, elle nasille un peu d'une grosse voix de garçon. Baya, qui est taciturne et renfermée, la laisse pester jusqu'au moment où elle l'empoigne résolument. Elle la corrige d'importance ; Smina achève ses menaces au milieu des larmes et de la morve, le foulard par terre, les cheveux sur la figure.

Chabha, la plus jeune de mes cousines, est cependant plus vieille que ma sœur Titi. Cette pauvre petite a une figure exsangue. Je revois toujours ses lèvres ridées, sans couleur, ses yeux jaunes et ses grosses joues tombantes. Tout le monde la néglige. On lui en veut d'être née et peut-être de s'acharner à vivre. Pourtant elle est intelligente car, sans que personne s'occupe d'elle, elle a appris à manier l'argile mieux que la grande Melkhir. C'est la seule que ma mère ne déteste pas parce que Chabha s'est attachée à moi. Son petit cœur doux et résigné n'a jamais compris ni écouté la haine de sa mère pour Fouroulou. Elle est morte depuis longtemps, ma chère Chabha, mais son souvenir est resté vivace en moi. Elle a été ma première amie.

Lorsque le partage fut consommé, Helima devint farouche pour elle-même et pour ses filles. Elle voulait la fortune, elle se révolta contre sa misère. C'était une femme d'action. Les scrupules ne l'arrêtaient jamais.

Le point de départ était le même pour les deux frères : à l'actif, un champ de figuiers et un champ d'oliviers ; au passif, une petite dette et des enfants à élever.

Pour montrer sa supériorité, dès le premier hiver, Helima engage Lounis à « tenir » deux olivettes appartenant à un cousin riche. Cela se pratique couramment chez nous : le propriétaire vous confie tel terrain avec tels arbres. On surveille, on ramasse les olives, on les fait moudre et le propriétaire reçoit de l'huile. La capacité de production de l'endroit est connue avec beaucoup de précision ainsi que le rendement des olives et la qualité de l'huile. Il n'y a pas à se tromper. La transaction se conclue suivant deux procédés : ou bien on s'engage à donner une quantité d'huile fixée à l'avance. Dans ce cas, le fellah malhonnête peut ruiner son employé. Il arrive souvent qu'un malheureux et ses enfants voient au bout de leurs peines une reconnaissance de dettes représentant le prix des doubles décalitres qu'ils ne peuvent livrer. Par le second procédé, le propriétaire s'accorde une fraction de la récolte : les deux tiers généralement. C'est alors l'employé qui peut frauder. Il ne s'en fait pas faute. Seulement, on prend la précaution de ne lui confier que des olivettes éloignées ou peu importantes. Et puis, on ne choisit que des parents, ceux qui, de toutes façons, doivent bénéficier peu ou prou de la récolte. On peut aussi céder des olivettes de bon rapport mais pour une période déterminée : celle qui précède le gaulage. Une fois les olives mûres, le ramassage est aisé. Il faut être fou pour partager sa récolte.

Il est évident que les « amalen » — ceux qui travaillent — se recrutent chez ceux qui n'hésitent pas à envoyer leurs femmes ou leurs filles ramasser les olives ailleurs que dans leurs champs. Ce n'est pas du vivant de ma grand'mère que Helima eût osé agir de la sorte. Elle avait son point d'honneur, ma grand'mère !

Les scrupules que peut avoir Lounis disparaissent devant la

certitude du profit. Il « tient » les deux olivettes moyennant les deux tiers de l'huile — deux tiers à livrer —. Il a affaire à un parent. Tous nos cousins se désintéressent de mon père et semblent vouloir aider mon oncle. Ma mère rumine sa jalousie, mon père défriche de plus belle. Tandis que Fatma et Baya guettent, pour ainsi dire, nos quelques oliviers et saisissent au vol la plus petite olive qui s'en détache, rapportant péniblement tantôt un panier, tantôt la moitié, Helima et ses filles sont débordées. Dès l'aurore, nous entendons leur remue-ménage, surtout les jours de vent. La mère, tel un capitaine en campagne, distribue les tâches sans hésitation : Djouher ira avec elle, il leur faut passer partout et rechercher sur les lisières du champ les fruits égarés dans les broussailles ou les creux de ravins. C'est dans les olives qui se perdent que réside le bénéfice des « amalen ». Le riche n'a jamais le temps de s'en occuper et ne peut pas les évaluer.

— Tu ouvriras les yeux, ma fille, c'est tout bénéfice pour nous.

Djouher ne se le fait pas dire deux fois. Les ravins forment généralement limite. Comment distinguer ses olives de celles du voisin ? C'est la loi du premier occupant. Djouher et Helima sont toujours les premières aux endroits stratégiques. Elles nettoient toutes les touffes et toutes les ravines. Les mains s'écorchent un peu aux ronces mais la joie est dans les cœurs. On peut voler le voisin la conscience tranquille.

Melkhir et Smina travaillent ensemble. Elles se rendent dans l'autre olivette avec les mêmes consignes. Comme Helima n'est pas trop sûre d'elles, elle les envoie toujours à l'endroit soigneusement nettoyé la veille. Avec les olives toutes les quatre rapportent du bois mort. Bientôt, Helima a le tas de bois le plus impressionnant du quartier. Nous le regardons tous avec envie.

Chaque matin, avant le départ, le repas du jour — moitié couscous, moitié belboul — est chauffé dans un grand plat d'argile rouge. On le sert crépitant et fumant dans le même plat autour duquel on s'assied pour l'avaler avec l'ardeur de la faim et la hâte de ceux que le temps presse. Après, il y a distribution

non moins hâtive de figues ; on se donne rendez-vous pour la
nuit et on ferme le gourbi.

Ma cousine Chabha se lève chaque matin avec les autres. Elle
a sa tâche à remplir. Il y a deux oliviers près du village, sur le
bord d'un chemin très fréquenté. Tous les matins, il y a des
olives sur ce chemin. C'est à elle d'y précéder les passants. Le
soir, lorsqu'au retour des champs Helima trouve des pulpes écrasées qui forment comme des taches d'encre sur les cailloux,
Chabha est sûre de la correction.

Je la revois encore, la pauvre Chabha, la tête enveloppée dans
un châle crasseux, des mèches de cheveux pâles lui brouillant
la vue ; elle souffle continuellement sur ses petits doigts glacés
et un peu rouges. Elle a beau s'essuyer ou renifler ses yeux et
son nez coulent. Elle tremble de froid dans son unique gandoura
à courtes manches, mais elle chante en ramassant les olives. Elle
est heureuse lorsqu'elle remplit son panier. Sa corvée terminée,
elle est chargée de veiller sur la maison. La maison est fermée
mais il y a la cour avec son gros tas de bois. Chabha passe le
reste de la journée dans la rue, furette chez les voisins, joue avec
les autres filles ou les écoliers, glanant par-ci par-là un bout de
galette, une cuillerée de couscous, une poignée de figues. Lorsque
les étourneaux passent, il ne faut pas qu'ils se posent sur ses
deux oliviers. Elle court les effrayer de sa voix fluette et fait
résonner bruyamment un petit seau qui ne la quitte jamais. Elle
veille de son mieux au dedans, au dehors et trouve le temps
de jouer.

De son côté, Helima réussit à communiquer son ardeur à
Lounis. Lui aussi veut se montrer supérieur. Les gens de Tizi
voient fréquemment les deux frères occupés à une tâche identique comme au temps de leur jeunesse. C'était alors un beau
spectacle d'entente fraternelle. Les cœurs ne battent plus à l'unis-
son ; ce n'est, à présent, qu'un tableau pitoyable de deux pères
de famille qui suent sur leurs maigres terrains, chacun de son
côté, chacun pour son compte, et capables de se dresser l'un

contre l'autre, car la vie se moque du sentiment.

Plusieurs fois, je l'ai su par la suite, Ramdane eut la gorge serrée en voyant travailler son aîné, Lounis aux mains fines, à la gandoura blanche, Lounis, qui savait si bien parler à la djema. Il aurait voulu lui arracher l'outil, le renvoyer à ses réunions. Oui, mon père m'a affirmé avoir taillé les arbres de mon oncle en cachette, pioché tel ou tel lopin, mais il ne pouvait complètement le remplacer, faire tout son travail comme avant. La séparation avait ceci de réel, c'est qu'il fallait songer à nourrir les enfants. Ce n'était pas une petite affaire, on ne pouvait se permettre d'écart. On en arrivait à se dire : « chacun pour soi ». Lorsque Ramdane ne pouvait plus supporter que son frère s'échinât à côté de lui, il changeait d'endroit et de tâche.

Cependant, grâce à sa femme et à ses filles, mon oncle ne paraissait pas plus embarrassé que mon père. Bientôt, il put même se montrer plus assidu à la djema et reprendre peu à peu ses habitudes de notable du village. Helima s'occupait de tout. De temps en temps, un cousin ou un ami leur donnait une journée de gaulage ou de labour. Des animaux ? ils n'avaient guère que la chèvre et le mouton de l'aïd. Les filles faisaient de la poterie qu'elles échangeaient pour de l'orge. Elles travaillaient la laine et mon oncle vendait ce qu'elles fabriquaient.

Pour la nourriture, à part mon oncle lui-même, ni Helima, ni ses filles n'étaient exigeantes. En somme, ma tante n'avait pas mal calculé. Elle aurait pu être plus heureuse que ma mère sans sa malhonnêteté. Lounis, qui la connaissait, la supportait avec résignation, comme on supporte une maladie incurable. Helima volait la communauté. C'était admis. Elle se mit à voler son mari. Elle prélevait régulièrement une partie de tout ce qui rentrait — céréales, huile, figues, laine — et la vendait à bas prix. Elle prenait à l'occasion une pièce ou un billet dans les économies de Lounis. Elle amassait une petite somme, achetait une broche ou un foulard à Djouher, une fouta à Melkhir, se faisait voler par le commerçant sûr de sa discrétion. Que n'a-t-elle pas donné à toutes les vieilles chercheuses de maris ? Les mères des jeunes gens du quartier pourront-elles répéter tout ce qu'elles ont accepté d'elle sans pour cela prendre ses filles ? Et les marabouts avec leurs amulettes mystérieuses qu'il faut coudre dans un coin de la gandoura sous les aisselles ou qu'il faut suspendre dans un tuyau de roseau juste en face de l'habitation désirée, combien ont-ils fait payer leurs grimoires ? Voilà où passaient les maigres économies de mon oncle. Et pourtant rien n'y faisait. Mes cousines grandissaient, enlaidissaient et ne se mariaient pas.

Mon oncle devinait toutes les manigances de Helima, parce qu'elles se pratiquent couramment chez nous. Franc et impétueux comme il était, il aurait voulu prendre sa femme sur le fait et l'étrangler de colère. La fine mouche redoublait de zèle, encourageait sa paresse, satisfaisait sa gourmandise. Il finissait par la laisser faire. Il se désintéressait peu à peu d'elle et de ses filles. Il était vieux. Il savait depuis sa naissance qu'il ne devait pas être riche. Cela est-il nécessaire pour vivre et mourir ?

X

IL N'Y A PAS grand'chose à ajouter sur mon oncle Lounis, Helima et mes cousines. Nous vivons côte à côte comme des voisins ordinaires et le temps qui s'écoule accroît petit à petit l'indifférence des uns pour les autres. Nous savons que nos soucis sont du même ordre, nos préoccupations identiques, nos ressources équivalentes. Nous n'avons rien à nous envier, ni à nous cacher. L'ardeur du début n'anime plus Helima ou ma mère. Il ne reste qu'une espèce de jalousie impuissante mais qui trouve sa satisfaction dans la similitude de nos existences misérables.

L'émulation des pères a sombré devant les difficultés à résoudre pour nourrir les enfants. On pourrait représenter assez exactement les deux frères comme deux vieux mulets lourdement chargés, suant sur nos sentiers de Kabylie. Qu'on essaie un peu de les faire courir pour se dépasser ! Ils s'excitent vite, les mulets, ils comprennent ce qu'on attend d'eux ; généralement il n'y a rien de tel qu'un mulet pour en faire courir un autre. Mais s'ils sont vieux et chargés, si le chemin est difficile, il n'y a rien à espérer. L'essentiel est de marcher. Il en est ainsi de Ramdane et Lounis.

69

Cycles de vie

Mes cousines se marieront, peut-être, plus tard, tout comme mes sœurs. Cela paraîtra tout naturel. On naît, on se marie, on meurt de la même façon. Parfois, quand on y songe sérieusement, on se pose des questions embarrassantes. Mais la plupart du temps on se laisse aller et c'est mieux ainsi.

En somme, mon enfance de petit Menrad, fils de Ramdane et neveu de Lounis s'écoule banale et vide comme celle d'un grand nombre d'enfants kabyles. J'ai gardé de cet âge, pour tout souvenir, un tableau qui me semble uniforme et terne et que j'évoque chaque fois sans y trouver ni charme, ni émotion excessive. Je me revois ainsi vêtu d'une vieille gandoura décolorée par les mauvais lavages, coiffé d'une chéchia aux bords effrangés et crasseux, sans chaussures ni pantalon, parce que, dans ma mémoire, c'est toujours l'été. Les pieds sont noirs de poussière, les ongles de crasse, les mains de taches de fruits ; la figure est traversée de longues barres de sueur séchée ; les yeux sont rouges, les paupières enflées. Si c'est un jour de toilette, eh bien, c'est le Fouroulou actuel, moins la barbe naturellement. Voilà le front bombé, les sourcils épais mais un peu courts, les yeux marron, bien abrités, au regard caressant et un peu sournois. Voilà aussi les pommettes saillantes et le nez fin de la mère, puis les lèvres fines du père qui dominent un menton en triangle. A présent, quand j'essaie de m'imaginer parmi mes élèves, je me retrouve toujours parmi les plus chétifs, les moins turbulents, ceux qui craignent l'effort, détestent les jeux et prennent un malicieux plaisir à apprendre constamment quelque chose.

Les meilleurs souvenirs de mon enfance, ce n'est pas chez les Menrad qu'il faut les rechercher. Ils s'accumulent en poussière dans le petit nid de mes deux tantes. Les meilleurs ? — hélas ! les plus tristes et les plus émouvants aussi.

J'estime que c'est une chance exceptionnelle pour moi d'avoir eu deux tantes comme Khalti et Nana.

L'enfant ne fait pas grand cas en général de la tendresse de ses parents. C'est pour lui chose acquise. Il n'y pense même pas, il s'en lasse lorsqu'on le gâte. Il aspire à des affections supplémentaires : il fait des avances, cherche des amis, l'ingrat veut donner son petit cœur ; il est prêt à trahir sa mère, à préférer un autre homme à son père, pourvu qu'il trouve quelqu'un de sûr. Ses naïfs élans buttent contre l'indifférence des grandes personnes : il ne rencontre que la déception, source d'une première amertume. Dans les familles nombreuses, les frères sont tous rivaux. Quant aux parents, leur souci constant est la lutte pour le couscous quotidien ou la gandoura annuelle. Ils sont nombreux, ces cœurs d'enfants qui ne se sont jamais ouverts et qui demeurent gros de tendresse renfermée.

J'avais, pour ma part, ce rare privilège d'être gâté par mes parents et de trouver ailleurs à qui accorder mon affection sans méfiance. Il me suffit de songer à ma première enfance pour sentir, même à présent, la douce atmosphère dans laquelle je vécus chez mes tantes. Mon cœur éprouve alors un regret vague et mélancolique.

Nana était mariée. Je le sus dès que je fus capable de comprendre. Son mari était en France. Il s'appelait Omar. Quelquefois mes tantes parlaient de lui. Toujours en mauvais termes. Khalti ne l'aimait guère. Nana ne pouvait pas le défendre. Dans ma mémoire, le visage d'Omar est toujours lié au visage de sa mère. Je ne le connaissais pas, lui, lorsque la vieille renoua les relations avec les filles d'Ahmed. La poterie se vendait bien, apparemment. La vieille était fine : Omar avait abandonné Nana quelques mois après leur mariage ; il était parti pour la France et s'y trouvait toujours ; il avait tous les torts, mais sa mère dit qu'elle se chargeait de le faire revenir de Paris. On ne refuse pas de revoir son mari sans y penser à deux fois, d'autant plus qu'il ne consentirait jamais au divorce. Je suis sûr que la belle-mère fut mal reçue par Khalti. Mais que pouvait faire la douce Yamina ? Elle écouta la vieille et, sans doute, un peu son cœur. Elle était jeune, belle, aimante, elle avait connu son mari et n'avait pu l'oublier !

Voilà pourquoi, sans trop comprendre comment cela se produisit, je me mis à rencontrer chez mes tantes une vieille inconnue qui était tout sourires et à laquelle il fallait parler avec des marques de respect. Je revois encore les yeux de cette femme ;

71

ils étaient grands et noirs, ils m'agaçaient beaucoup quand ils se posaient sur moi. Elle vous déshabillait du regard. Je me mis à la craindre et à la haïr. Elle avait un visage de cire, aux traits rectilignes, un nez bien droit, des rides verticales, une bouche très large aux lèvres minces qu'elle élargissait parfois par des sourires qui me semblaient cruels.

Chaque fois qu'elle s'en allait, Nana ou Khalti lui donnait un paquet qu'elle enfouissait, toujours souriante, dans sa gandoura, contre son ventre. C'était tantôt des figues, tantôt de la farine ou de l'orge.

Omar débarqua effectivement un jour et reprit ma douce Nana. Il dut rentrer chez ses vieux parents les mains vides car il accepta leur tutelle sans rechigner. Il avait des frères et des sœurs. On n'avait pour lui que de l'indifférence et du mépris. Bientôt, Nana subit aussi ce mépris car Khalti, restée seule, n'avait pas grand'-chose à donner à la vieille. Les frères d'Omar se déchargeaient sur lui de toutes les besognes difficiles. Dame ! ils avaient assez travaillé durant son inutile absence. Omar avait, sans doute, beaucoup de choses à se reprocher sur sa façon de vivre à Paris. Il acceptait impassiblement le rôle de valet, méditant un projet d'évasion définitive. Il le laissait deviner à ma tante qui, de son côté, avait sa large part de peines et d'humiliations.

Je ne peux pas dire exactement combien tout cela dura, mais je me souviens bien d'une soirée de printemps ou d'été. Il faisait clair de lune, nous étions dans la courette, Khalti, Baya et moi. Khalti me racontait pour la vingtième fois l'histoire du voleur de paille que le bon Dieu voulut confondre en marquant au ciel d'une traînée laiteuse, sa marche nocturne sur la terre. L'histoire avait d'ailleurs des variantes. Ça pouvait être un voleur de vaches laitières ou un meunier malhonnête. Mais l'idée était la même. La voie lactée était toujours pour Khalti un reproche immuable aux louches besognes de la nuit.

On frappa brutalement au portail, Baya ouvrit sans attendre. Omar et Nana entrèrent en soufflant. Nana avait un gros ballot de linge sur le dos. Il y avait toutes ses nippes. Omar était enfoui sous le gros tapis multicolore. Il serrait d'une main un oreiller sur sa poitrine, de l'autre il tenait, sur son épaule, sous le tapis, le petit coffre aux couleurs vives, dans lequel ma tante enfermait avec soin ses bibelots, sa savonnette, des bracelets et des colliers. Je le connaissais bien, ce coffre. C'était la seule chose que ma tante ne me permettait pas de manipuler à mon aise. Elle l'avait emporté lorsqu'elle avait rejoint son mari. Que signifiait ce déménagement ? Sous la pâle lumière de la lune je vis les yeux de Khalti briller de joie et ses pommettes devenir plus rouges. Je compris qu'elle était dans le secret. Nous entrâmes tous les cinq à l'intérieur. Nous nous assîmes en rang, pêle-mêle, entre les bagages. J'étais tout oreilles, pour une fois Omar m'intéressait. Il s'épongeait le front avec son beau burnous tissé par Nana. Il avait un petit visage noiraud et géométrique qui rappelait un peu celui de sa mère, des yeux noirs très vifs, une bouche édentée ; il parlait avec précipitation et avait une façon particulière de prononcer certaines consonnes de sorte qu'il fallait deviner les mots d'après le sens des phrases. Il était trapu et maigre, à peine plus grand que Nana. Si je ne le craignais pas, je le *Omar* détestais autant que je détestais sa mère. Pourtant, ce soir-là, il réussit à me faire pitié. Il avait toujours un pan de son burnous sur le front lorsque je le vis pencher brusquement la tête et se cacher le visage. Ses épaules tremblèrent, des hoquets montaient de sa gorge. Nous nous regardâmes, il pleurait. Nous l'écoutions en silence. Nana fit la moue et porta les mains à ses yeux. Il releva la tête, me montra sa figure grimaçante qui n'était pas belle à voir. Je n'avais jamais vu pleurer un homme. Je croyais la chose impossible. Je ne pouvais pas comprendre qu'un homme pleurât. Je sentis qu'Omar n'avait plus rien de grand ou de fort, il se rapprochait de moi, devenait un camarade, presque un ami et, à la vue des larmes de Nana, nous nous mîmes à pleurer Baya et moi.

Khalti ne pleurait pas ! Sa colère éclata. Voilà le moment où elle aurait voulu tenir la vieille et lui faire payer toutes ses humiliations, ses injustices, ses méchancetés. A quoi bon pleurer maintenant ?

— Restez tous les deux ici, nous avons assez de place ! Tes

73

parents ne veulent plus de vous ? Eh bien ! soit. Tu leur montreras que tu es un homme. Grâce à nous deux, tu ne manqueras de rien...

Oh ! oui, Khalti était bonne pour consoler. Par dépit, à cause de la vieille, elle se jetterait à l'eau, elle se sacrifierait pour le fils. Omar se consola en effet et s'établit chez mes tantes. Elles se mirent à le cajoler de mille manières. Je perdis beaucoup à ce changement. Quant à la vieille, elle se mit à raconter dans le village que les filles d'Ahmed lui avaient enlevé son fils. Ma mère ne décolérait plus, mon père était plus taciturne que jamais, mes tantes devenaient farouches dès qu'il s'agissait d'Omar.

Je ne sais pas au juste comment elles s'arrangèrent pour lui procurer les moyens de faire le voyage. Il s'en retourna en France un beau matin avec l'idée longuement préméditée de tout oublier. Et on ne parla plus de lui. Je crois qu'il est mort à présent. Tout le monde le dit. Quant à moi, à tort ou à raison, je lui en voudrai toujours. Il a fait mon premier malheur.

Les souvenirs d'enfance manquent de précision et de lien : on garde certaines images frappantes que le cœur peut toujours unir l'une à l'autre lorsqu'il les évoque. Voici, par exemple, une scène que je revois avec une grande netteté : je suis seul à la maison avec ma mère. Il fait froid, c'est l'hiver. Dans le kanoun, brûle en pétillant un feu clair de rameaux d'oliviers. Adossée au mur, une grosse bûche penche sa tête sur le feu. Les flammes la lèchent gracieusement, la noircissent petit à petit et commencent à la dévorer. Nana entre, frileuse et se dirige vers nous, près du foyer. Elle a sa gandoura blanche à petites fleurs roses, sa fouta de cotonnade retenue à ses hanches par un gros fil rouge en guise de ceinture. Elle ne peut pas supporter le ceinturon de flanelle qui se porte habituellement chez nous. Elle s'approche nonchalamment, sans parler, l'air soucieux. Elle écarte ses pieds mouillés et rouges de froid, se tient juste au-dessus du feu, éloigne des flammes le bas de sa gandoura.

— Tu te sens lourde ? dit ma mère.
— Je sens des déchirures dans les reins.
— C'est la septième lune ?

— Mais non ! compte à partir de l'Achoura. Nous sommes bien dans la huitième, dit Nana.

— Ton ventre ne m'inquiète pas.

— Oui, tu vois, il n'est pas bien gros. On dirait simplement que je mange bien. Je sais, moi, que ça me fait mal.

Ma mère sourit sans conviction. Moi-même regardant Nana, je vis sa figure pâle, ses lèvres boursouflées, ses yeux cernés. Elle n'avait rien d'une personne bien portante.

— Le premier enfant ne fait pas descendre le ventre. Tu verras qu'après tu seras aussi jolie qu'avant. Pourvu que ce soit un garçon !

— Oh ! ma sœur, tu ne m'as guère donné l'exemple avec tes trois filles. Je demande seulement au bon Dieu de me laisser traverser l'épreuve. Ces douleurs qui se croisent depuis hier m'inquiètent beaucoup. Je viens te voir pour cela.

— Ne crains rien et cesse de penser à tes douleurs, dit ma mère.

— Je fais de mauvais rêves. L'autre jour, paraît-il, on entendait de la djema celle qui a eu des jumelles.

— Tu es entre les mains de Dieu, ma petite. Tu n'as jamais fait de mal. Ce sera pour lui le moment de te récompenser. Et puis, je serai là. Je t'assisterai, rassure-toi.

Elles parlèrent longtemps, parfois à mots couverts. Je ne comprenais pas grand'chose. Et puis, Nana dut montrer son ventre. Il n'y avait à cela ni honte, ni gêne. J'étais le sang de leur sang. Je me confondais avec elles...

Dans le film de mes souvenirs, cette scène est suivie immédiatement de celle-ci : un soir d'hiver, il pleut, les ruelles sont boueuses, les gouttières clapotent ; des ruisselets d'eau sale contournent les dalles des chemins ; les petites maisons basses semblent plus petites encore. Elles se serrent tristement, s'affaissent et se perdent sous la brume qui descend sur elles avant la nuit. J'entre chez mes tantes. Il y a du monde. La petite lampe à pétrole fume abondamment sur l'akoufi. Dans le kanoun se consume une bûche. Baya vient au-devant de moi, toute soucieuse, l'index sur la bouche. Je m'entête à rester. Non ! je ne

75

sortirai pas. Ma mère, les lèvres serrées, tient Nana sous les aisselles ; elle veut la soulever pour l'obliger à marcher. D'autres femmes me masquent le visage de Nana. L'une aide ma mère dans son effort. Khalti brûle sur des braises dans un vieux plat quelque chose qui se met à fumer et à sentir fort. Une vieille donne des ordres d'une voix brève et autoritaire. Les beaux yeux de Khalti me regardent sans me voir. Je me sauve.

— Demain tu embrasseras le fils de Nana. me souffle Titi lorsque je rentre à la maison. Je ne me rappelle rien d'autre. J'ignore ce que je fis à la maison, comment nous dormîmes en l'absence de ma mère et ce qui se passa pendant la nuit.

Je fus brutalement réveillé par les cris de ma mère et de mes sœurs : ma douce Nana venait d'expirer. Oh ! je me rappellerai toujours ces cris et la suprême angoisse qui me fit sursauter, m'enleva de ma couchette et me fit hurler d'épouvante. Chaque fois que j'entends les lamentations de nos femmes sur les morts, je frissonne malgré moi car elles me rappellent toujours le déchirant réveil qui m'apprit la mort de ma tante.

Elle mourut après une nuit de douleurs, entre les bras de ses sœurs affolées. Elle enfanta une pauvre chose froide qui l'accompagna au cimetière. Qui l'y entraîna plutôt ! Le petit cadavre resta attaché à sa mère dès le début de la nuit. Nana s'épuisait petit à petit, elle s'évanouissait à chaque instant. Bientôt elle ne fut plus qu'une loque. On entendait ses entrailles craquer et les flots de sang couler avec le glouglou d'une jarre qu'on renverse. Un petit effort par chance, aurait détaché complètement le mauvais fruit. Dieu n'eut pas pitié de ma tante, l'acte de vie devait se terminer dans la mort. Elle agonisa jusqu'au matin et s'éteignit doucement avec la dernière étoile.

Je revois Nana allongée sur son tapis de noce et couverte d'un linge blanc ; un foulard de soie jaune soutient le menton et entoure son petit visage. Les yeux sont fermés, les narines pincées, la figure est jaune comme le foulard. Je vois bien qu'elle ne dort pas. Elle semble dormir, mais il y a plusieurs façons de dormir. Il y a le sommeil lourd de la fatigue, le repos calme de la santé, le sommeil pénible de la maladie. La mort c'est autre chose. Maintenant que je le revois, en y pensant bien et après en avoir vu beaucoup d'autres, le visage de Nana est inexpressif, il n'y a ni trace de sourire ou de révolte, ni idée de souffrance ou de repos. Rien. Voilà ce que c'est que la mort. Un être cher expire, ne cherchez plus rien qui l'attache à vous. Un burnous que l'on suspend à sa place habituelle évoque celui qui le portait mieux que ne le fait sa « dépouille mortelle ». Que dit le visage de la douce Nana, le beau visage aimé de tous et qui souriait à tous ? La mort a tout pris. Elle laisse un masque indifférent, imprévu qu'elle dresse comme une barrière implacable contre laquelle notre douleur vient buter misérablement, sans échos.

Khalti

La mort

XI

Pour tous les gens du village, ce qui nous arrivait là ne sortait pas de l'ordinaire. La mort fauche couramment des gens dans la fleur de l'âge. On pleure, on se lamente à s'enrouer la voix pour une semaine, puis on se tâte pour se dire que l'on reste après le disparu et que, malgré tout, le mal est sans remède puisque rien n'influe sur l'inexorable horloge du Destin. Or, un mal sans remède est toujours supportable.

Ma mère a vu mourir un frère, des sœurs, sa mère, puis son père. Elle est familiarisée avec la douleur et le silence. Elle ressemble aux chênes rabougris qui, poussant aux bords des chemins, s'obstinent à végéter malgré les intempéries, les chèvres qui les broutent librement et la hachette des bergers qui les mutile sans pitié. Ma mère a pris l'habitude de réagir en serrant ses lèvres minces. Elle est stoïque sans effort ou insensible par usure. Elle supportera ce coup comme les précédents et se remettra à vivre en tâchant d'oublier.

Mais pour Khalti, ce fut autre chose. Nana n'était pas seulement sa sœur. C'était une partie d'elle-même. La meilleure partie. Dès le début de la souffrance, les yeux de Khalti prirent une étrange fixité. Elle regardait sans voir, allait comme un automate.

ne répondait à personne, ne semblait rien entendre. Pendant le
jour, au milieu des sanglots et des lamentations, Khalti ne pleurait pas. Assise aux pieds de la morte, indifférente aux allées et
venues des visiteurs autant qu'aux préparatifs de l'enterrement,
elle était figée comme une statue. Ma mère qui avait à s'occuper
de tout, se tournait de temps en temps vers Khalti, lui lançant
un regard effaré. Vint le moment où il fallut sortir pour permettre aux laveuses de procéder à la toilette de Nana ; malgré
toutes les supplications, elle refusa de bouger. Il ne fut pas possible de lui faire entendre raison. Elle posait sur les choses et
les gens un regard de somnambule. Parfois, on voyait tressaillir
les muscles de sa face ; ses paupières s'abaissaient et se relevaient
avec rapidité ; sa main tirait précipitamment le bas de sa gandoura puis toute sa personne se pétrifiait de nouveau. Lorsque
les porteurs vinrent enlever le corps de Nana, on put voir les
larmes jaillir des yeux de Khalti, mais c'étaient en quelque sorte
des larmes froides que n'accompagnait aucune expression du
visage, ni aucun cri.

Il est d'usage, pour les parentes, d'accompagner le mort jusqu'en dehors du village. Ma mère, mes sœurs, mes cousines,
toutes les Aït Moussa firent cortège à la bonne Yamina qui s'en
allait dans le grand cimetière de Tizi emportant sous l'olivier
séculaire peuplé de hiboux et de fantômes, sa douceur, ses sourires, son intelligence. Toutes les femmes pleuraient en rappelant
ces qualités. Et si elle pouvait voir, Nana, toute cette affluence,
cela la consolerait un peu de partir.

Mais Khalti n'était pas du cortège. Lorsque ma mère et mes
sœurs constatèrent son absence, il était trop tard pour la faire
sortir de chez elle. Elle avait fermé le portail, puis la porte. On
eut beau cogner, appeler, supplier, Khalti resta indifférente à nos
lamentations comme si plus rien au monde ne pouvait désormais
l'attacher aux vivants. Lasse de prier, pressentant un nouveau
malheur, ma mère se révolta à son tour et la pitié fit place à la
colère, à un sentiment de rébellion farouche, non contre Khalti,
pauvre cœur meurtri et faible, mais contre le sort impitoyable
qui ne refuserait pas une autre victime.

Khalti — folie

— Venez, mes enfants, dit-elle en m'entraînant par la main. Et toi, ô Dieu, je te l'abandonne, tu peux la prendre. C'est tout ce qu'elle demande. Que ferais-je d'une chose brisée ? Oh ! ta victoire sera facile et sans mérite.

Nous rentrâmes tristement chez nous.

Mon oncle, mon père, des voisines compatissantes essayèrent vainement de faire parler Khalti à travers les portes closes. Comme la nuit approchait, ma mère se mit à pleurer en songeant que sa sœur si superstitieuse coucherait seule avec le souvenir de la morte. Elle alla supplier une fois de plus, écouta attentivement et entendit ma tante marcher. Alors, elle lui parla sévèrement, blâma son manque de courage et de soumission à Dieu, son mauvais cœur pour ceux qui restaient, son égoïsme et l'engagea à ouvrir, à venir passer la nuit chez nous ou à nous laisser dormir avec elle. Khalti cessa de marcher, nous n'entendîmes plus rien et nous la laissâmes.

C'est vers le milieu de la nuit que Khalti commença à parler toute seule en ricanant. Bientôt, elle se mit à déranger bruyamment les ustensiles et à donner de grands coups sur l'akoufi. Après, on l'entendit chanter à tue-tête n'importe quoi, chants religieux ou obscènes, criant un air profane avec des louanges au Prophète, vantant la beauté d'une pucelle avec la mélopée des morts. Il n'était plus possible aux voisins de dormir. On vint nous avertir que Khalti était démente. Muets et tristes, nous attendîmes dans la rue, devant le portail, jusqu'à l'aube. Comme il faisait presque jour, ma tante ouvrit les portes en riant aux éclats.

Nous nous précipitâmes chez elle. Quel spectacle ! Les objets étaient jetés pêle-mêle par terre, les étagères étaient vides, la literie ravagée. A la faible lueur du matin, on voyait dans tous les coins de la maison des tas informes de linge et d'ustensiles ; la grosse jarre à eau était renversée et le seuil de la porte inondé, l'akoufi était couché sur le flanc, sa large gueule à moitié enfouie dans un monticule d'orge. Au milieu de ce désordre, Khalti se tenait bien droite, la crinière flottant librement sur les épaules et sur le dos. Elle était belle ainsi. Ma mère et les autres femmes

80

s'en aperçurent également mais elles comprirent qu'elle était perdue. Alors, elles pleurèrent. C'était bien ce nouveau malheur que redoutait ma mère ! Comme la veille, la foule accourut, la petite cour ne désemplissait pas. Les gens n'en avaient pas fini avec les malheureuses filles d'Ahmed.

Certains visiteurs nous assuraient qu'il s'agissait d'une crise passagère. De pareilles choses s'étaient déjà produites. Cependant, nous étions tous là, serrés les uns contre les autres, dans la courette à regarder Khalti, à épier le moindre reflet d'intelligence dans son regard inexpressif, à donner un sens raisonnable à ses désespérantes divagations.

Fatiguée, sans doute, par sa gymnastique nocturne, Khalti s'assit sur le seuil de la porte et regarda insolemment ceux qui arrivaient. De temps en temps, elle ramenait ses tresses sur sa poitrine et s'amusait à nouer ses beaux cheveux. Puis elle tirait fortement et en jetait une poignée avec un rictus de douleur. Comme ses jambes fines étaient écartées sans pudeur, ma mère essayait de les rapprocher dans une position plus décente. Ma tante grognait, mécontente, levait rapidement le bas de sa gandoura et se découvrait le ventre. Les homme détournaient les yeux, sortaient en hochant la tête, laissaient les femmes seules en face de la folle. Khalti baissait la tête, sournoise. Nous la regardions avec attention, aucun de ses gestes ne pouvait nous échapper. Elle semblait s'en apercevoir grâce à quelque mystérieux reste de conscience. On aurait dit qu'elle préparait un mauvais coup et que son apparente soumission était délibérément feinte. Ma mère, une lueur d'espoir dans les yeux, me tenait par la main et nous nous approchions de Khalti pour la raisonner.

— Vois ton petit ami, n'est-ce pas qu'il ne doit pas te craindre ?

Elle leva sur moi des yeux méconnaissables, des yeux au regard changeant qui refusaient de me reconnaître, qui tour à tour brillaient d'une étrange lueur ou s'éteignaient brusquement couverts d'un voile imperceptible, qui me fixaient et me pénétraient puis me quittaient pour se perdre dans le vague. Oh ! les pauvres yeux de fous, je ne les verrai nulle part sans émotion. Eux seuls

81

reflètent la souffrance de l'âme et recherchent éperdus ce que le cœur et le cerveau n'ont plus. C'est pour cela qu'ils sont hagards, terrifiés, terrifiants et pitoyables. Pourquoi Dieu n'accorde-t-il pas aux déments d'être aveugles ? Je crois que leur souffrance serait plus supportable.

Je tremblai d'effroi devant celle qui tant m'aima et me cajola, qui fut pour moi une source de tendresse et de rêve, je manquai de courage devant celle qui m'apprit à admirer la bravoure et à pleurer par pitié. S'en aperçut-elle ou fut-ce le hasard qui châtia ma poltronnerie ? Ma tante m'empoigna avidement, me plaqua deux gros baisers sur les joues puis détourna la tête et se mit à rire stupidement.

Les femmes commentaient en s'attendrissant cette embrassade passionnée ; c'est le moment que choisit la folle pour traverser la cour en deux enjambées et disparaître à toute allure au tournant de la rue. Nous nous précipitâmes derrière elle. Elle allait tout droit dans sa gandoura sans ceinture qui lui battait les talons, ses cheveux flottant sur ses épaules. Les gamins qui la croisaient s'écartaient sur son passage ; une vieille femme qui tenta de l'arrêter fut brutalement renversée ; elle nous entraîna à sa suite jusqu'au dehors du village. Mais l'alerte était donnée, des cousins se mirent à sa poursuite, la rattrapèrent, la ramenèrent malgré ses contorsions, ses coups, ses cris et ses insultes.

Elle revint, non dans la petite maisonnette, mais chez mes parents. Nous fermâmes notre portail et nous restâmes seuls avec elle. Ses yeux étaient étincelants, sa face fouettée par l'air frais du matin était resplendissante. Elle avait l'air de nous narguer, semblait nous menacer d'une revanche comme un adversaire acharné. Elle ne baissait les yeux, soumise, que devant la mine renfrognée de mon père. Aussi nous souhaitions qu'il restât à la maison car nous commencions à la craindre. Il fallut bien pourtant qu'il sortît pour aller à ses affaires. Khalti ricana de plaisir. Je vois encore la scène. Elle était adossée à un mur, à côté du moulin à bras, je me tenais assez loin, en face de la porte, prêt à m'éclipser. Titi dut apprécier l'avantage de ma position, elle voulut traverser la maison et venir à côté de moi.

Au moment où elle passait devant ma tante, elle fut rudement saisie par les cheveux :

— Viens ma fille, ne crains pas ta tante !

Titi s'affala sur le sol en poussant un cri d'épouvante. Je me jetai dehors suivi de Baya. Ma mère s'interposa. Elle fut empoignée à son tour. Nos cris appelèrent Helima, ses filles, des voisines ; elles réussirent à maîtriser Khalti et la gardèrent toutes ensemble jusqu'au retour de mon père.

Quelles tristes journées nous passâmes ! Le sort de Khalti nous fit presque oublier la pauvre Nana dont la tombe venait à peine de se fermer. Maintenant, nous voilà dans un grand embarras. Que faire de Khalti ? Nous n'avions qu'une seule maison, où la loger ? Où l'enfermer plutôt ? Car il fallait l'enfermer pour l'empêcher de nuire ou de s'enfuir. C'est la fuite surtout qui préoccupait mon père. Je l'avais entendu parler avec des oncles ; ils craignaient le pire si elle s'échappait. Sait-on jamais ? Elle était jeune, elle pouvait aller en pays étranger, déshonorer la famille. Est-ce que des inconnus songeraient à épargner une folle ? La tâche resterait pour la famille. Et puis, à la maison, Khalti était un danger pour les enfants, elle pouvait devenir furieuse. Comment les grandes personnes resteraient-elles constamment avec elle ? La seule solution raisonnable était de lui lier les pieds en attendant qu'elle guérît ou qu'elle devînt plus douce.

Dès le lendemain, mes parents, en allant aux champs, laissèrent ma tante avec Titi et moi. Elle avait les pieds solidement noués d'une corde en poils de chèvres qui lui remontait aux reins et qui l'attachait à un pilier de la soupente. Elle était ainsi inoffensive mais pitoyable, même pour nos cœurs d'enfants. Je me rappelle que ma sœur ne pouvait pas la regarder sans pleurer, que nous refusâmes de sortir pour jouer et de l'abandonner une seule minute jusqu'au retour de ma mère et de Baya.

Le soir, je couchai dans la soupente avec mes sœurs. Mon père délia ma tante et lui ordonna de manger. Il lui parlait d'un ton autoritaire. Ils étaient effrayants tous les deux ; ils se mesuraient du regard, Khalti se mit à crier, il la laissa faire à son aise. A un moment, nous la vîmes saisir le plat de couscous et manger gloutonnement avec la main : la cuiller était tombée à ses pieds. En un clin d'œil, le plat fut vidé et avant que mon père n'intervînt, elle le lança contre la porte et il vola en éclats.

Ma mère était désolée, mais tout ne faisait que commencer. Nous n'étions pas en mesure de recueillir une folle et de supporter toutes ses fantaisies. Le destin était trop cruel pour mes parents. D'abord, il leur fallait veiller à tour de rôle, toute la nuit pour surveiller de près Khalti qui pouvait jouer un mauvais tour, mettre le feu à la maison, renverser une jarre à huile, étrangler le mouton ou tout simplement son neveu. Et dès que Khalti avait les mains libres, elle s'amusait à mettre en pièces ses gandouras ; elle voulait s'habiller de lambeaux ; elle ne tarda pas à ruiner sa sœur car une fois déchirées les gandouras héritées de la pauvre Nana, il ne lui restait plus rien et mon père n'était pas en mesure de lui payer un vêtement neuf. Enfin Khalti qui était si méticuleuse, devint repoussante : elle craignait l'eau comme le feu, ne voulait jamais qu'on la peignât, se soulageait sur place. Notre maison ne fut jamais aussi malpropre que pendant ces mauvais jours. Chose curieuse, Khalti avalait tout ce qu'on lui donnait et se portait bien mieux qu'auparavant. Elle grossissait, prenait des couleurs, sa voix devenait sonore. Elle avait tout d'un animal et sa raison ne revenait pas. Ma mère, par contre, s'épuisait et s'amenuisait. Les voisins la prenaient en pitié, mais la pitié ne nous aidait pas beaucoup. Nous avions cessé de plaindre Khalti car nous nous estimions plus à plaindre qu'elle. Nous souhaitions une délivrance, n'importe laquelle.

Je me souviens qu'à un moment donné ma tante devint subitement plus calme. Elle était pour ainsi dire prostrée. On ne l'attacha plus. Elle se plaçait dès le matin sur une petite banquette de pierre près de la porte et y passait la journée. Elle restait plongée dans une rêverie sans fin ; les gros poux qui pullulaient sur ses haillons se chauffaient au doux soleil d'hiver. Il ne fallait pas lui parler ou la toucher. Ma mère disait que c'était à cause de la pleine lune. Elle appréhendait le retour de la crise de fureur au dernier quartier et à la nouvelle lune. Quant aux

84

lunatique

voisines, elles prétendaient que des esprits étaient en train d'initier Khalti aux secrets des sorcières, que bientôt elle se mettrait à prédire l'avenir et qu'elle gagnerait alors de quoi nourrir largement la famille.

Je dois avouer que mon père prêtait une oreille complaisante à ces suppositions tant la vie était dure pour nous. Quant à ma mère, elle se révoltait à l'idée de tirer profit d'un tel malheur. Elle ne voulait pas qu'une fille d'Ahmed devînt sorcière. Plutôt la misère, plutôt la mort de la folle ! Ce qu'elle eût voulu, ce fut que l'on conduisît sa sœur chez des marabouts réputés, dans des Zaouias pour essayer de l'exorciser. Mais, outre qu'elle ne croyait pas beaucoup en la puissance des cheikhs, il n'était pas facile pour mon père de voyager avec une jeune folle. Il eût fallu de l'argent, une bête, des compagnons, suspendre son travail, laisser son champ et sa maison, accepter l'idée de risques imprévisibles et ne pas trop compter sur la guérison.

Rassurés par la nouvelle attitude de Khalti devenue inoffensive, les Menrad reprirent peu à peu leur train de vie ordinaire. Au milieu de leurs occupations et de leurs soucis, il arrivait à mes parents d'oublier la folle et de ne songer à elle que lorsqu'ils la voyaient à la maison. Bientôt ce ne fut plus qu'une bouche supplémentaire à nourrir, on perdit peu à peu l'espoir de la voir guérir aussi bien que l'habitude de la surveiller. Il arrivait à Khalti de sortir seule, d'aller chez l'une ou l'autre des voisines. Ordinairement, elle ouvrait au hasard le portail d'une maison, se tenait sur le seuil et ne disait rien. Les femmes essayaient de lui parler sans aucun résultat ; lorsqu'elles lui offraient quelque chose, elle tendait la main avec indifférence, le regard toujours absent.

Un soir, au retour des champs, Fatma, Baya et Ramdane ne trouvèrent pas Khalti à la maison. Titi, qui avait passé la journée dans la cour, avec la petite Zazou sur le dos, vit sortir sa tante quelques instants après ses parents et moi-même j'essayai de l'arrêter lorsqu'elle passa devant l'école, vers dix heures.

— Laisse-moi voir ma sœur, m'avait-elle dit.

Ma mère eut les larmes aux yeux en entendant mon témoignage. C'était la première fois que Khalti parlait de la morte. Etait-ce un signe de guérison ? Comme le cimetière se trouve à une certaine distance de l'école, mon père m'y dépêcha avec Titi dans l'espoir de trouver ma tante sur la tombe de Nana. Ma mère en était convaincue. Pourtant il n'y avait personne au cimetière. On décida de visiter le quartier : rien non plus. Après une heure de recherches, mon père apprit d'un berger que Khalti s'en était allée à Amalou.

Amalou est le champ d'oliviers et de figuiers laissé par Ahmed à ses trois filles. C'est une petite parcelle située au creux d'une profonde vallée, parcourue par un torrent capricieux, au lit tourmenté, rocailleux et étroit. Un petit sentier bordé de ronces et de lentisques court en zigzagant du village à Amalou. Il faut une demi-heure pour le descendre mais plus d'une heure pour le remonter. On était au mois de mars. Il faisait presque nuit. Mon père, fatigué par une journée de labour, n'avait pas le courage de descendre jusqu'à Amalou pour ramener la folle. D'ailleurs, elle était bien douce à présent. On pouvait imaginer qu'elle passerait la nuit dans la petite hutte couverte de chaume qui se trouve à un angle de la propriété et dans laquelle les filles d'Ahmed avaient l'habitude d'emmagasiner quelques bottes de fourrage avant de les vendre. Comme Khalti connaissait le moindre coin de la parcelle, ma mère elle-même déclara que sa sœur irait instinctivement se coucher dans la chaumière. D'ailleurs, une nuit à la belle étoile, dans les hautes herbes, rafraîchirait peut-être les idées de la folle. Est-ce que les ennuis allaient revenir ? Il y avait un peu de mauvaise humeur et de lassitude dans la maison. Bref, on ne s'inquiéta pas outre mesure.

Pendant la nuit le temps changea brusquement, comme cela arrive toujours en mars. Il se mit à pleuvoir. La pluie crépitait avec violence sur les toits, le vent chantait lugubrement dans les longues ruelles et passait à travers les interstices des portes. Ma mère commença à songer à sa sœur. Mon père essaya de la rassurer mais elle avait de tristes pressentiments. Las de l'écouter et suffisamment embarrassé, mon père se leva, s'habilla et sortit. Nous l'entendîmes appeler son frère avec lequel il se concerta ; ils réveillèrent d'autres cousins puis revinrent chez nous pour tenir conseil. Ils étaient cinq ou six. Ils avaient chaussé leurs sandales de peau, s'étaient enveloppés dans de vieux burnous avec le capuchon sur la tête et les pans noués derrière le cou ; ils étaient armés de bâtons pour se diriger dans l'obscurité. Cependant la pluie avait redoublé de violence et, au moment de sortir, les grosses gouttes tombaient comme des rafales de grêlons. Ils s'enfoncèrent dans la nuit noire, nous laissant inquiets. Eux-mêmes s'en allaient tristes et silencieux, pataugeant dans les petites mares boueuses, à la file comme des fantômes. Du bas de la colline où perche le village, ils purent entendre le torrent d'Amalou gronder avec colère.

Le matin, à mon réveil, je vis le burnous de mon père suspendu à une patère fichée dans le mur, près de la porte ; il était mouillé et sale, il s'égouttait sur le seuil ; mon père enfoui sous une couverture, dormait dans son coin. Ma mère avait les yeux rouges. On n'avait pas retrouvé Khalti. On ne devait jamais plus la revoir et le mystère de sa disparition restera une énigme pour toute la famille. Pour ma part, je crois qu'elle périt emportée par le torrent impétueux qui passe non loin de la chaumière.

La rivière du Sebaou ou ses affluents abandonnent parfois, dans la plaine de Tizi-Ouzou, sur leurs rives spacieuses et indolentes, quelque cadavre tuméfié, au ventre enflé comme un ballon, avec des bleus sur tout le corps, les paupières noircies, les lèvres boursouflées, la langue enflée sortant à moitié par un coin de la bouche. Khalti fut-elle ainsi rejetée par le fleuve ? Nous ne sûmes jamais. Lorsqu'on trouve un de ces morts, l'information passe de village en village, des gens vont reconnaître le cadavre, le ramènent chez eux, il reçoit la sépulture selon les rites en usage. Sinon il est enterré Dieu sait comment et la famille cesse d'attendre le disparu.

C'est ce qui nous arriva. Aucune trace de Khalti, malgré une semaine de recherches. Il devint même douteux qu'elle fût descendue au champ et le berger n'affirmait plus rien depuis que les femmes soutenaient une autre thèse : je n'avais pas menti en rapportant les paroles de Khalti, lorsqu'elle était passée devant l'école ; on se hâta de déduire que la folle, telle une sainte des temps bibliques, s'en était allée de vie à trépas, rejoindre sa sœur bien-aimée, avec des moyens terrestres comme s'il s'était agi d'un changement de résidence. Les gens sensés n'en croyaient rien et ma mère, dans sa douleur, déplorait l'horrible mort qui avait emporté sa sœur.

Dire que nous pleurâmes beaucoup Khalti serait, peut-être, exagéré car depuis la mort de Nana c'était, en quelque sorte, le deuil permanent dans la maison, sans compter tous les ennuis qu'il nous fallait supporter. Une certaine dose de chagrin et de pitié mise à part, nous étions plutôt fatigués de cet état de choses et nous désirions ardemment un peu de joie et de bonheur. Il n'y eut que ma mère à ressentir cruellement cette nouvelle perte. Elle disait qu'elle voyait tomber le dernier rameau de l'arbre familial — pauvre rameau d'un arbre desséché — qu'elle était seule désormais, qu'elle n'avait d'autre refuge que le toit de son mari et d'autres affections que celles de ses enfants. Parfois aussi, elle se reprochait d'avoir négligé sa sœur.

Nous, les enfants, nous comprîmes également que nous perdions quelque chose : la maisonnette de mes tantes fut vendue par mon père à un voisin qui abattit tout de suite la cloison. Nous nous désintéressâmes du champ tragique ; nos cousins, les Aït Moussa, le vendirent et se partagèrent l'argent. Nous n'eûmes plus alors notre bon refuge, notre cher nid, personne à aimer en dehors de nos parents, personne qui s'intéressât à nous. Nous n'avions plus qu'à nous serrer peureusement autour du père et de la mère.

LE FILS AINÉ

now
then

> *Aujourd'hui, cette indigence, fièrement, noble-*
> *ment supportée par les miens, fait ma gloire.*
> *Alors, elle me semblait une honte et je la cachais*
> *de mon mieux. Terrible respect humain !*
>
> MICHELET.

TEL EST *le fragment de confession que chacun peut lire dans le gros cahier rayé de Menrad Fouroulou. Le narrateur qui en a eu connaissance et qui le propose au lecteur prend, de ce fait, l'engagement d'aller jusqu'au bout. Faut-il répéter que Fouroulou se tait par modestie ou par pudeur, qu'il passe la plume à un ami qui ne le trahira pas mais qui n'ignore rien de son histoire, un frère curieux et bavard, sans un brin de méchanceté à qui l'on pardonne en souriant ?*

Lorsque tout sera dit sur ton compte, Fouroulou, tu auras peut-être cessé de vivre car la vie n'est pas longue, décidément. Tes enfants, les enfants de tes enfants, sauront-ils que tu as souffert ? Oui, il serait bon qu'ils le sachent, mais ils auront à souffrir, eux aussi, à aimer, à lutter. Quelle leçon conviendrait-il de leur donner ? « Une leçon ? Il n'y a pas de leçons », murmures-tu. Je vois ton sourire doux et résigné. Tu voudrais que le narrateur se taise. Non, laisse-le faire. Il n'a pas beaucoup d'illusions mais il t'aime bien. Il racontera ta vie qui ressemble à des milliers d'autres vies avec, tout de même, ceci de particulier que tu es

89

ambitieux, Ftouroulou, que tu as pu t'élever et que tu serais tenté de mépriser un peu les autres, ceux qui ne l'ont pas pu.

Tu aurais tort, Fouroulou, car tu n'es qu'un cas particulier et la leçon, ce sont ces gens-là qui la donnent.

frère Dadar

L'ANNÉE même où il perdit ses tantes, alors qu'ils souhaitaient tous un peu de bonheur, Fouroulou eut un frère, qu'on appela Dadar, et dont la venue réveilla la rage impuissante de Helima.

Fouroulou en perdant son titre de fils unique prit celui d'aîné qui comporte, lui expliqua-t-on, certains devoirs pour l'avenir, quand le petit sera grand, et beaucoup d'avantages dans le présent. Pour commencer, il eut sa part de toutes les bonnes choses (œufs, viande, galette) que sa mère mangea pour guérir. Plus tard, le petit ayant symboliquement sa part de tout ce qui se partageait, on faisait mine de le lui donner et la main déviait vers Fouroulou qui recevait ainsi deux fois plus que les autres. Les sœurs n'avaient rien à dire : un frère peut bien céder ce qui lui revient à son aîné. Tant pis pour elles si elles ne sont que des filles.

Voilà donc au complet la famille Menrad. Sept personnes. Une seule travaille et rapporte. C'est le père. Il se démène comme un diable, ne perd aucune journée, ne se permet et ne permet à personne aucun luxe. Il tremble à l'approche des « aïds » qui engloutissent les sous. Il tremble à l'approche de l'hiver qui

91

engloutit les provisions. Fouroulou, son frère et ses sœurs gran-
dissent comme ils peuvent. Mais, somme toute, ils passent ainsi
une période paisible dont Fouroulou ne garde qu'un vague souvenir. Il ne se rappelle avec précision que les mauvais moments
de son enfance.

Il avait onze ans environ lorsque son père exténué par la
fatigue tomba gravement malade. C'était la fin de la saison des
figues. Ramdane avait passé auparavant toutes les nuits au champ,
surveillant le séchoir. Un matin, il remonte à la maison les yeux
enfoncés dans leurs orbites, le corps brûlant, les lèvres blanches.
Il s'affaisse en gémissant sur le sac de feuilles de frêne qu'il a
rapporté péniblement sur son dos. Vite, une natte, une couverture, un oreiller tout rond et aplati. Il se couche et refuse de
manger. Il gémit toujours. Sa femme croit que ça passera ; les
filles se demandent s'il faut pleurer. Fouroulou est impassible
du moment que ça ne le concerne pas. D'ailleurs son père est
fort, lui. Il peut supporter la maladie.

— Les bœufs n'auront rien pour la nuit, le sais-tu ? dit la
mère. Alors, tu ne peux vraiment pas remplir un sac ce soir ?

— Non, je suis malade. Va au champ avec tes enfants. Montez
sur le frêne du milieu, le plus doux de tous, le plus facile aussi.
Je voulais le réserver pour les dernières bouchées. Puisqu'il en
est ainsi, allez-y. Ne laisse pas monter Fouroulou. Il fera boire
les bœufs. Je voudrais dormir. Qu'ils aillent jouer dehors.

Le soir la mère revient. Elle le harcèle.

— Ça ne va pas mieux ? En t'aidant d'un bâton, tu pourrais
peut-être aller garder nos figues. Il suffit que les gens te voient
passer. Ta présence éloignera les voleurs.

— Appelle mon frère. Il me remplacera cette nuit. Tiens !
dis-lui de venir. Envoie-lui le petit. Donne-moi encore à boire.

— Tu veux que j'appuie de mes mains sur quelque endroit
qui te fait mal ?

— Non ! j'ai mal partout.

— Une grappe de raisin ? Tu voudrais plutôt un peu de couscous avec du lait bien aigre ? cela réveille !

Ramdane ne répond plus. Il ferme les yeux. Il ne les ouvre

que pour recevoir son frère. Lounis constate, lui aussi, que ce n'est rien. Il ira coucher au champ. Mais le lendemain, de bonne heure, il part en voyage pour une semaine.

Dans la nuit, le malade délire. Il dit des choses incohérentes ; il s'adresse à sa mère qui est morte ; il étouffe, il vitupère des personnages inconnus et invisibles, il dit qu'ils le menacent. La femme ne dort pas, les enfants se réveillent. Ils sont muets et tremblants.

— Ce sont des djenouns, dit la mère, votre père se bat avec eux depuis une heure.

Fouroulou se fait tout petit, il souhaite que les djenouns ne s'aperçoivent pas de sa présence. Ils ont terrassé son père. Ils sont si forts !

Le lendemain, quoiqu'habitué à dormir tout son saoul, il se lève sans trop de difficultés avec le soleil pour accompagner sa sœur Baya au champ. Ils doivent sortir du gourbi les claies de figues au séchoir, en ramasser d'autres sous les figuiers, faire paître les moutons et rapporter le sac de feuilles de frêne cueillies par l'oncle au clair de lune. De retour à la maison, il sait qu'il aura à faire boire les bœufs à l'abreuvoir et que l'après-midi il retournera au champ pour rentrer les figues à l'intérieur du gourbi, remplir le sac pour les animaux et chercher parmi les buissons du bois sec pour le kanoun. Il pense que son père sera content de lui.

A la maison, il trouve un vieux cheikh en train d'écrire une amulette. Le père est assoupi. Le marabout réveille le malade pour l'interroger. Ramdane répond raisonnablement aux questions. N'empêche que le taleb découvre un sens secret aux paroles. Il est manifeste, d'après lui, que les djenouns ont été dérangés pendant la nuit, à côté d'une source, près du séchoir et qu'ils sont entrés dans le corps parce qu'on n'a pas pris la précaution de les conjurer en prononçant la formule habituelle, quelque chose comme « *vade retro, Satanas* ». Donc, tous les torts sont du côté du malade. Maintenant, pour les chasser, il faut tuer un bouc et encenser le bas-ventre du malade avec une feuille de laurier-rose écrite des deux côtés. Cette dernière opéra-

93

bouc

tion sera répétée trois fois. Pour éviter les confusions, trois feuilles de laurier portent chacune une, deux ou trois barres tracées par le taleb.

Fouroulou a une sainte terreur des djenouns, il s'en voudrait de les contrarier tant soit peu. Mais il se rappelle fort à propos une petite anecdote racontée par son maître, lequel, pour faire plaisir à sa vieille mère qui lui demandait une amulette, lui apporta, un jour, un petit papier proprement plié, contenant tout le texte de « La Cigale et la Fourmi ». Donc, pour montrer à ses sœurs qu'il est un esprit fort et qu'il n'est pas dupe du vieux turban qui vient leur soutirer dix francs, il raconte l'anecdote de l'instituteur en ajoutant que la cigale et la fourmi ont guéri la vieille mieux que ne l'aurait fait une véritable amulette. Mais, pour faire ouvertement cette audacieuse critique, il doit attendre le départ du cheikh et l'assoupissement du père. On ne sait jamais ce qui peut arriver. Quand le père a les yeux ouverts, qui vous dit que ce ne sont pas les démons qui l'habitent qui vous lorgnent, vous guettent et peuvent subitement changer de domicile et venir habiter chez vous. Dans ces moments-là, Fouroulou, son maître a beau dire ! se tient prudemment à l'écart !

Ses craintes sont pourtant bien vaines, car les djenouns ne se décident pas à quitter leur victime. Un deuxième, un troisième marabout ne réussissent pas mieux que le premier. Dans ses instants de lucidité, le père dit bien qu'il ne « loge » rien du tout, mais quand il se remet à délirer, il est difficile de le croire.

Son frère Lounis revint enfin de voyage et fut tout étonné de le trouver plus malade encore. C'était vraiment sérieux. Comme un malheur ne vient jamais seul, on avait cassé la porte du gourbi, une nuit où l'on n'avait trouvé personne pour le garder. On avait saccagé des claies, volé une bonne partie des figues. Lounis prit la direction de la maison. Il se mit d'accord avec le propriétaire pour vendre les bœufs qu'on ne pouvait plus entretenir. La part du bénéfice servit à soigner le malade. Elle ne dura pas longtemps. Il fallait de la semoule et de la viande une fois par semaine. On tua un deuxième bouc et de temps en temps une poule. L'aïd approchait, on dut acheter des gandouras aux

94

enfants. On vendit l'âne et un mouton. Bref ! le pauvre Ramdane était ruiné avant même d'entrer en convalescence. Lounis, pour sauver son frère, dépensait inutilement sans compter. Il apportait de la viande, c'était les enfants qui la mangeaient ; on préparait du café, le malade n'en buvait qu'une tasse. Lorsqu'enfin il put manger, Ramdane ne trouva ni provisions, ni argent. Alors il emprunta à cinquante pour cent pour reprendre des forces et pour nourrir les siens. C'était l'hiver, il dut continuer à emprunter jusqu'au printemps.

Quand ses forces revinrent en même temps que les beaux jours, il put mesurer avec effroi la profondeur de l'abîme où la maladie l'avait plongé. La misère était à ses trousses. Pour la première fois depuis le partage, il se rendit le cœur gros chez le cadi-notaire, apposer ses deux pouces au bas d'une reconnaissance de dette. Il hypothéqua son champ et sa maison. Ce jour-là, un jour de marché si Fouroulou a bonne mémoire, son père, surmontant son chagrin, avait rapporté un chapelet de tripes. Elles parurent amères à tous.

Quelques temps après, laissant sa famille aux soins de son frère, Ramdane quitta, un matin, son village pour aller travailler en France. C'était l'ultime ressource, le dernier espoir, la seule solution. Il savait très bien que s'il restait au pays, la dette ferait boule de neige et emporterait bientôt, comme sous une avalanche, le modeste héritage familial.

Ramdane part

II

L E SOIR qui précéda le départ, aucun de ses enfants ne s'en
doutait. Mais le hasard voulut que Fouroulou se réveillât
pendant la nuit. Son père ne dormait pas. Il priait dans
l'obscurité. Il priait à haute voix, demandant à la Providence
d'avoir pitié de lui, de venir à son aide, d'écarter les obstacles de
sa route, de ne pas l'abandonner. Puis, dans un élan désespéré,
il l'implorait de veiller sur ses enfants. Dans le silence de la
nuit, le ton était grave et profond. Chaque demande était suivie
d'une confession émouvante. Ramdane dépeignait son embarras,
sa misère. Il sembla à Fouroulou qu'une présence surnaturelle
planait au-dessus d'eux et entendait tout. Il était perplexe. Il lui
suffisait d'étendre son bras pour toucher son père, car il dormait
toujours à côté de lui. Pourtant, il retint sa respiration et ne
bougea pas. Il se demandait ce qui arrivait. La douleur de son
père lui serrait la gorge et des larmes se mirent à couler silencieusement sur ses joues.

Tant que dura la prière, il ne put fermer l'œil. Il essaya de
découvrir le nouveau tourment de la famille. Ne trouvant
rien, il se dit que peut-être tous les pères prient ainsi en secret,
lorsque leur famille a beaucoup d'ennuis — ce qui était le cas

des Menrad, il le savait très bien. Alors, il joignit de tout son cœur sa prière à celle de son père et s'endormit sans savoir comment.

Le lendemain matin se levant le dernier, comme d'habitude, il trouva sa mère et ses sœurs toutes en pleurs. Le père était parti à l'aube, et pour ne pas accroître son chagrin, il avait préféré partir à l'insu de tous, sans embrasser personne. Il venait de renvoyer à un ami sa gandoura et son burnous. Il partait dans la veste et le pantalon français que lui avait donnés un cousin et qu'on l'avait vu rapiécer avec application la semaine précédente.

Fouroulou se rappela ce qu'il avait entendu au milieu de la nuit. Sa mère, avec un pauvre sourire, lui dit qu'elle avait entendu, elle aussi. Elle manifesta une satisfaction visible en constatant que son fils n'avait pas dormi. Les filles furent un peu honteuses de leur mauvaise conduite. Elles n'aimaient donc pas leur père puisqu'elles n'avaient pu se réveiller ?

— Non ! pensa Fouroulou. Cela démontre simplement que ma mère ne peut pas compter sur elles, mais qu'elle peut compter sur moi pendant l'absence de mon père.

Cette réflexion l'empêcha de pleurer comme ses sœurs. Il les consola un peu et partit pour l'école. Seulement, de temps en temps, quelque chose se contractait dans son ventre, dans sa poitrine et semblait grimper dans sa gorge.

Vingt-deux jours après, la première lettre arriva. Elle avait été remise par l'amin. Personne n'osa l'ouvrir avant quatre heures, en l'absence de Fouroulou qui était en classe. Il prit le message des mains de Baya et embrassa l'enveloppe. Tous l'entouraient. Son petit frère Dadar le tirait par sa gandoura et lui disait : « Vite, montre-moi mon père ». Il hésitait. Il était au cours moyen, mais une lettre c'est difficile, il faut expliquer. Pour plus de sûreté, il décida d'appeler un ancien qui avait quitté l'école avec le Certificat. Le savant ne se fit pas prier. Il vint, ouvrit la lettre d'une main sûre et se mit à traduire. Au fur et à mesure qu'il lisait et traduisait, Fouroulou se rendait compte qu'il pouvait en faire autant. Ses yeux brillaient de joie. Il n'y avait

97

qu'une expression qui pouvait l'embarrasser : « il ne faut pas vous faire de mauvais sang ».

Le père est « en bonne santé », il « espère » que ses enfants se trouveront « de même ». Il travaille, il ne tardera pas à envoyer un peu d'argent. Il demande à ses enfants d'être sages, d'obéir à leur mère. Il ne faut pas mener la chèvre dans le champ d'oliviers où il y a de jeunes greffes ; il ne faut pas négliger de suspendre au bon moment des dokkars aux figuiers. La lettre est pleine de recommandations. Il donne ses ordres exactement comme s'il était là. Tel frêne sera effeuillé le premier, tel figuier sera arrosé dès les premières chaleurs, le fourrage de tel endroit sera réservé à la chèvre, l'autre sera vendu. Suivent des questions de toutes sortes sur les provisions laissées à la maison, sur les voisins, sur l'oncle. Il termine par « le grand bonjour à toute la famille, chacun avec son nom » et « le bonjour de l'écrivain » — celui qui a écrit la lettre sous la dictée de Ramdane.

Tout le monde est content. La famille entière, rassemblée autour des deux écoliers, voit le père à travers la feuille de papier. On répond sur-le-champ. On a tout ce qu'il faut pour cela. Le diplômé s'accroupit sous l'œil vigilant de Fouroulou. Il pose une feuille vierge sur un vieux livre de lecture et plonge la plume dans l'encrier tenu par Fouroulou.

Celui-ci n'osait pas faire la première lettre. Il savait qu'il existe certaines formules d'usage et il ne connaissait pas ces formules. Il se promettait *in petto* de les apprendre et de ne plus avoir recours à qui que ce soit pour sa correspondance. Il apprit donc là façon de terminer la lettre avec les « mille bonjours », « ton fils dévoué » et « réponse urgente ». Sa jalousie ne lui permit pas de remercier chaleureusement son camarade auquel il signala même, avec franchise, deux fautes d'orthographe. Le lendemain, il porta la lettre à l'école d'où elle devait être remise au facteur. Le maître s'étonna de ne pas reconnaître l'écriture de son élève et lui dit qu'il le croyait capable d'écrire à son père. Mais une quinzaines de jours plus tard, Fouroulou présenta une seconde lettre à l'instituteur. Sur l'enveloppe s'étalait l'adresse du père, comme

98

dans mon cœur

un échantillon de sa plus belle écriture : « Menrad Ramdane, 23, rue de la Goutte-d'Or. Paris-18°. »

Le maître jeta un coup d'œil, comprit que Fouroulou attendait quelque chose.

— C'est bien ! lui dit-il, et Fouroulou s'en alla.

La troisième lettre qu'écrivit Fouroulou à son père commençait ainsi : « C'est avec joie que je t'écris pour t'annoncer que je suis admis au certificat... ». Cette formule apprise à l'école, lors d'un compte rendu de rédaction — « supposez que vous êtes reçu, vous annoncez la nouvelle à un ami » — lui parut belle en elle-même et digne d'être lue à Paris. Comme elle traduisait la réalité, elle lui parut plus belle encore et digne de sortir de la plume d'un nouveau diplômé. Il était fier à l'avance de l'effet qu'elle produirait sur « l'écrivain » de son père.

Il venait de réussir au certificat avec deux de ses camarades. L'examen avait eu lieu à Fort-National, à une vingtaine de kilomètres du village, une vraie ville, avec beaucoup de Français, de grands bâtiments, de belles rues, de beaux magasins, des voitures roulant toutes seules. Ce n'était plus Tizi. Tout lui parut beau, propre, immense. Et penser que les gens disent que c'est un petit village ! Il eut le temps de visiter la ville car il s'y rendit la veille de l'examen. Il fut surpris et heureux de constater qu'il savait le français. Il était étonné d'entendre des gamins parler aussi bien que lui mais avec un accent beaucoup plus agréable.

Aujourd'hui encore il entend l'appel des candidats : voilà l'inspecteur, les examinateurs, beaucoup de roumis authentiques. Il est en classe, devant une rédaction et des problèmes. Il reprend ses esprits, fait de son mieux, réussit, passe l'oral. Où est sa timidité habituelle ? Il répond, il n'a pas peur, ce n'est plus le même, son maître ne le reconnaîtrait pas.

Au village, ses deux camarades et lui revinrent dans la nuit, très fatigués. Ils furent les premiers levés pour annoncer l'événement aux maîtres, aux élèves. On les félicita. C'étaient des prodiges. Fouroulou nageait dans la joie et l'orgueil. Son père ne devait pas l'ignorer.

Il reçut la réponse attendue avec une somme de deux cents francs. La lettre et l'argent avaient été remis à un ami qui revenait de France et qui avait habité à la même adresse que le père. Lorsque cet ami arriva au village, on alla l'interroger dans sa propre maison. Il embrassa Fouroulou « à la place de son père » et donna l'argent à la mère. Puis il tira de sa valise un grand catalogue d'une maison de chaussures et un roman d'amour : « Collection Gauloise », entourés d'une ficelle :

— Alors ! il paraît que tu es instruit, toi ? Eh bien, voilà des livres que ton père t'envoie. Il est très content, tu sais.

Et Fouroulou prit le paquet.

Fouroulou :
berger ou savant ?

III

A<small>U MOIS</small> d'octobre suivant, au lieu de quitter l'école, Fouroulou décida d'y retourner pour préparer le concours
des bourses. Dans son for intérieur, il savait qu'il serait
plus utile à la maison comme berger. Mais ses camarades du
certificat n'abandonnant pas l'école, il ne pouvait faire autrement
que de les imiter. Et puis les seuls animaux étaient la chèvre et
son petit. Cette chèvre n'avait pas besoin d'un gardien spécial.
On l'avait intégrée au troupeau du village. Tous les trente ou
quarante jours, il pourrait s'absenter une demi-journée pour
mener paître au mechmel les habituées de ce troupeau. Après
quoi, il serait tranquille jusqu'à ce que son tour revînt. A la maison, la chèvre n'est guère difficile à nourrir : un petit sac de
feuilles de frêne en été, quelques brassées d'herbe au printemps,
un fagot de rameaux d'olivier ou de chêne-liège en hiver, une
botte de fourrage quand on en a. Si, avec tout cela, Fouroulou
et son frère n'ont pas du couscous au lait à volonté, on pourra
dire qu'elle est ingrate.

Il est certain que les bergers se livrent à d'autres occupations
que la garde de leurs animaux : ils surveillent les propriétés,

Chevre

cherchent du bois, ramassent les olives ou les figues selon les saisons, mais Fouroulou n'a pas deux grandes sœurs pour rien. Il peut aller à l'école sans déranger personne. Sa mère et ses sœurs se chargent des travaux des champs. Son père envoie assez régulièrement les cent cinquante ou deux cents francs nécessaires pour acheter de l'orge. Son oncle Lounis fait venir des marchés ce dont on a besoin.

Ce n'est qu'à la saison des olives qu'il envie un peu ceux qui ont quitté l'école. Les grives et les étourneaux s'abattent par milliers sur les olivettes. Pendant que les hommes se hâtent de gauler les fruits, les femmes de les ramasser, les ânes de les charrier, les bergers, eux, se livrent passionnément à la chasse. De grands espaces sont envahis de lacets. Chacun en place deux cents, trois cents ou même cinq cents. Les garçons partent le matin, par un froid glacial, changer les appâts — de belles olives brillantes — puis ils se rassemblent par groupes sous de gros oliviers, sur une colline voisine d'où l'on peut surveiller les pièges. Ils allument du feu pour réchauffer leurs pieds et leurs doigts et attendent fiévreusement le moment de faire leur ronde.

Pendant les jours de congé, Fouroulou a connu, lui aussi, ces attentes palpitantes et pleines d'espoir. Les gamins en perdent l'appétit et ne sentent ni le froid, ni la pluie, ni les épines. Lorsqu'ils voient un étourneau s'arc-bouter au bâton flexible enfoncé dans le sol et tirer sur la ficelle, ils sont payés de leurs fatigues. On égorge les oiseaux, on les plume, on en remplit les capuchons mais on rapporte vivants ceux de la dernière visite du soir. Devant l'école, si par hasard les élèves viennent de sortir, les bergers vont à leur rencontre pour faire envier leur sort.

Fouroulou a essayé plus d'une fois de mettre des lacets dans son champ. On les lui vole quand il est en classe. Sa colère atteint le comble lorsqu'il constate, en même temps, la disparition du lacet et de la grive capturée. Il se venge en souhaitant de tout son cœur le départ de ces oiseaux « migrateurs » — un terme qu'il explique complaisamment à tout le monde — et attend avec impatience le mois de mars qui marque la fin de la chasse et de la campagne d'olives.

Ayant sacrifié ces plaisirs pour l'étude, il ne lui restait plus qu'à réussir au concours. C'est ce qu'il fit brillamment. Le sujet de la rédaction lui allait bien : « Votre père, ouvrier en France, est ignorant. Il vous parle des difficultés qu'y rencontrent ceux qui ne savent ni lire, ni écrire, de ses regrets de n'être pas instruit, de l'utilité de l'instruction. » Son père étant justement dans ce cas, il put imaginer son embarras quand il faisait son marché, quand il cherchait du travail, quand un contremaître lui donnait un ordre. Il put le supposer s'égarant dans un métro ou une rue. Il lui reconnut l'impossibilité de garder les secrets de famille puisqu'il devait faire écrire ses lettres par d'autres. Bref ! les idées ne manquant pas, il fit une bonne rédaction. Quant aux problèmes tout le monde avait confiance en lui. C'était sa matière préférée. Il brilla à l'oral et revint chez lui sûr d'avoir réussi.

Il pensait déjà à la belle phrase pour annoncer son succès à son père. Mais, cette fois, il n'eut pas à l'employer. Sa joie fut de courte durée. Amar, un jeune homme du village, venait d'arriver de Paris et apportait, lui, de mauvaises nouvelles. Il rencontra Fouroulou près du café et comme le garçon lui embrassait la main pour lui souhaiter la bienvenue, il prit un air triste et dit :

— Tu viens me demander si j'ai vu ton père ? Oui, ne t'inquiète pas, je l'ai vu. Va me chercher ta mère, j'ai une commission pour vous.

— Il t'a remis une lettre ? Donne-la moi !

— Elle est dans ma poche. Que ta mère vienne d'abord, dépêche-toi.

La mère arrive en toute hâte.

— Nana Fatma, dit l'homme, tes enfants ont de la chance. Renouvelle ton offrande à la kouba du village. Ton mari a failli mourir. Maintenant il est sauvé, n'aie aucune crainte.

La pauvre femme et son fils devinrent pâles.

— Que lui est-il arrivé ? Dis-tu la vérité ? S'il est mort ou en danger, inutile de le cacher, je suis courageuse. Il y a deux mois qu'il n'a pas écrit.

— Mais non ! je te dis qu'il est guéri. C'est un tombereau qui l'a blessé à l'usine. Il a été hospitalisé. Bientôt, il reprendra son travail. Tiens, voici deux cents francs qu'il vous envoie.

— Il est encore à l'hôpital ?

— Il était sur le point d'en sortir, la semaine dernière.

— Et l'argent ? Il l'avait sur lui !

— Oh ! Il m'a dit de vous remettre deux cents francs. Les voilà. Je peux vous en donner davantage si vous voulez. Voici la lettre, Fouroulou. Il vous dit de vivre en paix avec tous vos voisins. Oui, ne vous inquiétez pas pour lui. Il a souffert, mais il guérira. Dieu n'a pas voulu priver tes enfants de leur père.

La mère et l'enfant rentrent tristement chez eux. Lorsque les sœurs arrivent du champ, tout le monde se rassemble autour du kanoun. L'angoisse se lit sur tous les visages. Fatma de temps en temps essuie ses yeux avec un pan de sa fouta. On pleure silencieusement car il faut cacher ce malheur aux voisins.

L'oncle Lounis rentre le soir. Il a appris la nouvelle avec beaucoup de détails. Il veut rassurer les enfants. Il n'est guère rassuré lui-même. Est-ce plus grave que ne l'a dit Amar ? Peut-être a-t-il caché quelque chose. La mère supplie Lounis de dire ce qu'il sait. Lounis jure que l'état de son frère ne l'inquiète pas. Il veut emmener les deux garçons souper chez lui. Fatma refuse. Il sort mécontent. Chacun est triste et irritable. Le désespoir étreint toutes les gorges. La lettre ne contient rien de bon. Des recommandations laconiques : « ... Je vous envoie deux cents francs. Tâchez de les faire durer. Je n'enverrai rien d'ici quelques mois. Si vous manquez d'argent, vendez la chèvre et un arbre... ».

Le lendemain, à l'école, le maître, commentant un résumé de morale, dit à peu près ceci : « L'enfance, c'est l'âge heureux ! Vous, écoliers, vous n'avez d'autres préoccupations que de vous instruire ou de vous amuser. Vous avez le sommeil tranquille, vous ne pensez à rien. Quelquefois votre père passe toute une nuit sans dormir, tourmenté par toutes sortes de difficultés. Il pense à ses enfants, aux créanciers qui le tracassent, aux ikoufan vides. Vous êtes insouciants, vous ne connaissez aucun de ses tourments. » C'est faux ! c'est faux ! pensait Fouroulou pendant que son maître parlait. Il avait envie de le lui dire. Non !

les enfants sont plus sensibles que cela. Ils partagent les misères de leurs parents.

Bientôt les nouvelles les plus extravagantes circulèrent sur le compte de Ramdane, plongeant dans la détresse la malheureuse famille : on l'aurait amputé d'une jambe, peut-être des deux ; certains disaient qu'il était aveugle, d'autres enfin qu'il était mort. Lounis alla à Tizi-Ouzou et envoya un télégramme avec réponse payée au patron de l'hôtel où logeait son frère. Le télégramme revint, une lettre le suivait de près. Un Français ne peut mentir. On finit par se rassurer.

IV

Ramdane : retour après 1½ ans

Il y avait déjà un an et demi que Ramdane était en France. Un soir de septembre, Fouroulou rentrait des champs avec son jeune frère, conduisant le troupeau de chèvres qu'il venait de faire paître. Près du village, les deux enfants rencontrèrent leur grand cousin Ahcène qui se dirigeait vers l'abreuvoir pour faire boire son âne. Ahcène se pencha sur Dadar, lui pinça la joue et lui dit :

— Cours chez toi, devance ton frère, ton père est arrivé.

Les deux enfants se plantèrent au milieu du sentier, béants de surprise, n'osant ni bouger, ni parler, pendant qu'Ahcène s'en allait tranquillement, en souriant. Fouroulou sursauta comme quelqu'un qui se réveille et piqua droit devant lui, abandonnant le troupeau et oubliant Dadar qui déployait de grands efforts pour suivre son aîné.

Le père Ramdane était à la maison. Des voisins et des voisines l'entouraient, pendant que Fatma, toute rayonnante, se tenait sur le seuil pour recevoir les visiteurs. Les enfants se frayèrent un chemin jusqu'à leur père qui les embrassa en riant de son gros rire.

— Fouroulou, que Dieu te le garde, est un homme à présent, lui dit une vieille.

— Que Dieu te donne la paix ! Oui, il a grandi. Il en est temps, je suis usé.

— Toi ? tu es plus solide qu'avant !

De fait, Ramdane avait changé : il avait grossi, sa figure et ses mains étaient presque blanches ; il avait de belles couleurs. On aurait dit vraiment qu'il n'avait pas été malade.

— Et pourtant, il mangeait bien, même ici, dit Fatma ; vous savez toutes, Dieu merci, que nous ne nous privons pas.

— Il n'y a pas de comparaison à faire entre la France et nous, lui répondit-on.

Fouroulou avait hâte de voir tout ce monde disparaître pour se retrouver seul avec ses parents. Dans un coin de la maison gisait un gros sac et une valise mystérieuse et son regard allait irrésistiblement de ce côté. Quant à Dadar, sans plus de façons, il s'était assis sur la valise et s'acharnait des dents et des ongles sur la ficelle qui fermait le sac. Par pure jalousie, Zazou voulut l'en empêcher et il en résulta une bagarre qui attira pendant un moment l'attention des grandes personnes.

Cependant Ramdane fut obligé de subir l'interrogatoire de tous ceux qui avaient des parents à Paris. Il répondait à tous avec complaisance et remit quelques commissions dont on l'avait chargé. L'individu qui sortit le dernier, à la grande satisfaction des enfants, fut l'oncle Lounis. Fouroulou, il est vrai, s'intéressa à la conversation des deux frères puisqu'elle se rapportait à l'accident et aux souffrances endurées à l'hôpital. Mais il savait qu'il avait tout le temps devant lui pour se faire répéter le récit. Pour l'instant, ce qui l'intéressait le plus c'était la fouille des bagages. Il était pressé aussi de parler de ses succès scolaires, dans l'intimité.

On tira du sac une douzaine de pains et des vêtements. La valise était bourrée également. Les pains furent coupés en morceaux et répartis entre les voisins. Fouroulou et sa sœur Titi faisaient la navette, allant chez l'un puis chez l'autre. L'oncle reçut deux pains entiers. Puis, cette même nuit, avant de s'endormir, Ramdane distribua les vêtements à ses enfants. Ces derniers s'en affublèrent sur-le-champ en un véritable carnaval. Ils se moquaient les uns des autres, riaient, s'embrassaient, se fâchaient. Finalement Dadar s'endormit avec les souliers dont on venait de le chausser, un gilet rouge tout flamboyant et un béret qui lui cachait les deux oreilles ; Zazou avait disparu dans une gandoura destinée à la mère, sa tête seule émergeait et sur cette tête il y avait un châle de soie jaune dont les franges lui tombaient sur les yeux. Fouroulou, en homme ordonné, rangeait avec soin son paquet au-dessus de son oreiller en défendant à quiconque d'y toucher. Baya et Titi, les plus grandes, serraient leurs lots entre leurs cuisses et faisaient mine d'écouter attentivement leurs parents.

Ramdane racontait justement pour la deuxième fois comment l'accident était arrivé. Dans l'intention évidente d'intéresser ses enfants et en particulier Fouroulou, il tira son portefeuille, en sortit une liasse de papiers.

— Tiens, lis ça, si vraiment tu es instruit. Vois un peu où a passé ton père... Ce qu'il a souffert.

Fouroulou regarda les documents mais n'y comprit rien. Il y avait l'en-tête « Hôpital Lariboisière », qui était parfaitement lisible, ainsi qu'un cachet violet. Pour lire le reste, qui était manuscrit, il aurait fallu le docteur lui-même. C'étaient des certificats. Fouroulou, après avoir bien examiné chaque feuille, les rendit à son père en hochant gravement la tête pour faire croire qu'il avait compris.

— Tu as vu ?

— Oui.

— Bon ! Voici maintenant la blessure, ajouta le père en déboutonnant sa chemise. On m'a déchiré tout le ventre.

Ses enfants ouvraient de grands yeux. Il les rassura.

— Oh ! ça ne fait rien, on a recousu après. Il ne reste qu'une longue cicatrice.

Les enfants s'approchèrent de leur père et virent effectivement une cicatrice qui lui traversait le ventre sur toute la longueur, et en coupait le nombril. Ils touchèrent délicatement, de peur que la blessure ne se rouvrît. Aucun danger : c'était bien cousu.

Ensuite Ramdane prit dans la valise un long rouleau de papier contenant plusieurs feuilles, comme un cahier. L'écriture en était grosse et belle : cette fois Fouroulou put lire et traduire assez bien ; le père put constater pour de bon que son fils était instruit. C'était un jugement d'un tribunal civil de la Seine. En vertu de ce jugement, une société d'assurances se voyait condamnée à payer au « Sieur Menrad Ramdane » une rente viagère de soixante-quatre francs par trimestre.

— Tu vois que ton père ne se laisse pas faire, dit Ramdane à son fils. J'ai perdu ma cause devant une justice de paix, mais j'ai fait appel au tribunal et j'ai gagné.

Pourquoi la justice de paix et le tribunal ? C'est que Menrad travaillait dans les fonderies d'Aubervilliers. Il y travaillait sans cesse, comme dans son champ en Kabylie. En plus des heures supplémentaires, tous les jours, il y travaillait même les dimanches. Et c'est précisément un dimanche qu'un tombereau lancé sur rail le coinça contre un mur. Il fut hospitalisé à l'infirmerie de la compagnie et se crut guéri au bout d'une semaine. Il n'avait aucune blessure apparente mais il souffrait de douleurs internes. Le médecin le pressa de quitter l'infirmerie. Menrad ne demandait pas mieux que de reprendre son travail. Il avait hâte de gagner de quoi payer ses dettes pour retrouver ses enfants. Il sortit donc et retourna à l'usine. Dès la fin de la première journée, en arrivant dans sa chambre, les douleurs revinrent, beaucoups plus aiguës. On l'hospitalisa de nouveau, presque mourant, à Lariboisière et on dut l'opérer. Il passa trois mois, trois interminables mois de souffrances et d'angoisse, loin de ses enfants et de son pays.

Lorsqu'il demanda à la compagnie l'indemnité qu'elle paie ordinairement aux accidentés du travail, elle la lui refusa et il l'attaqua en justice. Des âmes charitables l'aidèrent, le conseillèrent, lui indiquèrent où il fallait s'adresser. Après bien des aventures qu'il n'oubliera jamais, il obtint « l'assurance » qui lui était due et une rente viagère qu'il n'avait jamais sollicitée, ni espérée. Si Fouroulou avait pu imaginer cette histoire au

109

concours des bourses, il aurait certainement ajouté un paragraphe à sa rédaction en racontant tous les tracas de son père, ce qui sans doute aurait bien étonné les examinateurs.

Comme toutes ces choses dont parlait Ramdane étaient déjà du domaine du passé, chacun, après tout, fut de l'avis de Fatma. Fatma se félicitait carrément de l'accident qui rapportait à la famille environ trois mille francs d'un seul coup.

Or, ces trois mille francs auraient exigé du père encore une année d'absence. Ramdane en convint. Il revenait de France le ventre recousu mais suffisamment riche pour payer ses dettes et retrouver sa tranquillité d'antan. Il avait près de dix mille francs en poche ! Sa petite pension lui garantissait son tabac à priser, jusqu'à la mort.

Les médecins lui avaient conseillé un an d'inactivité absolue avec une nourriture saine et abondante. Ils ignoraient, sans doute, qu'un Kabyle a la peau dure et ne se conforme à leurs prescriptions que lorsqu'il n'a plus la force de leur désobéir. Ramdane, pour sa part, savait qu'il se portait bien. Son champ l'attendait. Ses amis et ses ennemis le guettaient. Il allait montrer à tous qu'il était toujours aussi fort. Il ne s'accorda que deux jours de repos...

C'était au mois d'octobre, Fouroulou qui venait de quitter l'école accompagnait régulièrement son père au champ et partageait ses travaux. On avait acheté des bœufs, des moutons, un âne. Chacun dans la famille avait fort à faire. Les bons jours semblaient vouloir revenir. Le père Ramdane était heureux de trouver en son fils une aide appréciable. Sans plus tarder, il s'avisa de lui parler comme on parle à un jeune homme, non plus à un enfant. Un après-midi, ils étaient tous deux sur l'aire près du gourbi qui renfermait les claies à figues. Le père était en train de raccommoder le bât de l'âne rongé par les rats pendant sa longue absence.

— Vois-tu mon fils, dit-il, la paire de bœufs est à nous ainsi que l'âne et les moutons. Je peux encore acheter deux autres moutons. Nous sommes deux. Ce n'est pas au-dessus de nos

Conseils paternels

forces. Au printemps, nous vendrons les bœufs pour acheter une paire plus petite. Nous vendrons aussi trois moutons, nous pourrons avoir une vache. Nous aurons également un peu d'huile en plus de notre consommation. L'été prochain, j'irai avec l'âne vendre des légumes pendant que tu t'occuperas des animaux et des terres avec tes sœurs. Bientôt nous remplacerons l'âne par un mulet. Je me livrerai alors au commerce. Tu m'accompagneras de temps en temps dans les marchés pour te mettre au courant. Je crois que, grâce à Dieu, nous ne serons plus malheureux.

Au fur et à mesure que le père développait ses projets, Fouroulou le suivait avec surprise. Il voyait s'ouvrir devant lui des horizons auxquels il n'avait pas songé ; il se voyait devenir fellah, il voyait grâce à lui le bien-être pénétrer chez eux. Mais il était un peu sceptique. Il avait un autre rêve, lui. Il s'était toujours imaginé étudiant, pauvre mais brillant. Il s'était habitué à l'image de cet étudiant, il avait fini par la chérir. Et voilà que son père, en quelques minutes, par de solides raisons, avait réussi à la chasser comme un fantôme. Pourtant, il murmura, par acquit de conscience :

— Et si on m'accorde la bourse ? je pourrai continuer mes études sans t'occasionner de frais. Le maître me l'a dit !

— D'abord on ne t'a rien accordé du tout, puisque les vacances sont terminées et qu'on ne t'a pas écrit. Ensuite, même si l'argent arrive, crois-tu que nous sommes faits pour les écoles ? Nous sommes pauvres. Les études, c'est réservé aux riches. Eux peuvent se permettre de perdre plusieurs années, puis d'échouer à la fin pour revenir faire les paresseux au village. N'est-ce pas le cas du fils de Saïd, l'usurier ? A Agouni, il y en a deux ou trois autres. Je me suis renseigné. C'est très difficile, les Français ne donnent pas de places pour rien. Tandis qu'en restant ici tu rapporteras autant que moi et nous ne manquerons de rien. Dans deux ou trois ans, tu seras assez fort pour aller travailler en France. Tu verras alors qu'avec tes deux certificats, tu te débrouilleras mieux que nous tous. Tu ne connaîtras pas les misères que j'ai connues. C'est très beau, la France, tu verras tout, tu comprendras tout. A ton retour, nous te marierons. Telle

111

est la vie que je te propose. C'est la seule qui nous convienne. Ton frère grandira, tu le guideras. Tes sœurs se marieront. Tu me remplaceras en toutes choses et je pourrai mourir tranquille.

Fouroulou écoutait silencieusement et admirait cette sagesse. Quand son père parla de mariage, il baissa la tête, rouge de honte. Ramdane avait les yeux sur le bât qu'il cousait. Il avait fini de parler. Il n'y avait rien à répliquer puisque la raison sortait de sa bouche. Ils se turent un moment, chacun réfléchissant à ces graves paroles. Puis Ramdane indiqua à son fils un travail à faire. Fouroulou se leva docilement et s'éloigna.

Le soir, en rentrant au village, ils trouvèrent une lettre du Directeur du Collège de Tizi-Ouzou annonçant que la bourse était accordée et qu'une place était réservée au nouveau boursier qui devait se présenter sans retard. C'est ainsi que le hasard aime à éprouver les gens.

Le garçon fut ébloui, lui qui commençait à désespérer. L'image de l'étudiant pauvre revenait à son esprit avec toutes ses séductions. Elle était plus attachante encore maintenant qu'elle pouvait devenir une réalité. Le père, lui-même, commençait à y croire. Etait-il homme à abandonner bêtement au baylek [1] les 180 francs qu'il se disposait à donner mensuellement à son fils ? Non ! n'est-ce pas ?

Ni lui, ni Fouroulou, ne voulurent revenir sur ce qui avait été dit au champ. Ils l'oublièrent d'un commun accord. Ils ne parlèrent plus que de la bourse, de l'école, des études. Fouroulou fut le héros de la soirée. Ses sœurs le considérèrent avec respect. Fatma prépara un souper en son honneur tandis que lui et son père, un peu à l'écart, parlaient de choses sérieuses. Il fallut préparer le départ. Rien n'était facile mais il y avait de l'argent à la maison et « avec l'argent, dit sentencieusement Ramdane, on vient à bout de toutes les difficultés ».

Ramdane avait raison. Dès le lendemain, on se mit sérieusement au travail. On alla voir le directeur pour se renseigner, se faire inscrire ; on envoya acheter le matériel nécessaire à Alger,

---

1. L'Etat.

on dépensa beaucoup d'argent et le nouvel étudiant ayant, à peu près, tout ce qu'il fallait, put, après le congé de la Toussaint, entrer au collège.

Le père Menrad n'était pas dupe. Il savait très bien que son fils n'aboutirait à rien. Mais, en ville, Fouroulou serait nourri mieux que chez lui, il grandirait loin de la dure existence des adolescents de chez lui. Puisque l'Etat voulait bien aider à l'élever, Ramdane ne s'y opposait pas. L'essentiel était de voir son fils devenir vite un homme afin qu'il partageât avec lui le soin de nourrir la famille.

Fouroulou, pour sa part, n'y voyait aucune malice. Il était sincère. Il allait candidement au collège dans l'intention d'obtenir son brevet, puis d'entrer à l'Ecole Normale pour devenir instituteur.

F. part pour Tizi Ouzou

V

FOUROULOU, en partant, laissa sa famille dans la tristesse. Tous le regrettaient. La maison, elle-même, parut plus triste. Le soir, lorsqu'on se rassembla pour souper, chacun s'aperçut du vide. Ils avaient l'impression que la famille était beaucoup plus petite que la veille comme si le jeune homme valait à lui seul trois ou quatre personnes. Puis on parla de lui, uniquement de lui. Les sœurs rappelaient leurs torts envers le futur grand homme, regrettaient de ne l'avoir pas supporté en maintes et maintes occasions, promettaient de le chérir tendrement. La mère aurait voulu lui envoyer toutes les bouchées de couscous qu'elle prenait. Elle s'inquiétait de la façon dont il ferait son lit ce soir-là ; elle s'inquiétait parce qu'il coucherait seul désormais, n'ayant personne pour le surveiller dans son sommeil ; elle était triste de le savoir loin de ses soins et de sa tendresse. Le père essaya en vain de la rassurer. Fatma avait les larmes aux yeux. Il toussa trois ou quatre fois pour se donner du courage.

Pourtant, Fouroulou était tranquille et bien installé. Couchant pour la première fois de sa vie dans un vrai lit, après avoir mangé des choses que ni sa mère ni ses sœurs ne pouvaient même imaginer, il était loin de songer à sa famille. Ces trois dernières journées avaient été remplies d'événements importants ; il les avait vécues comme en un rêve et, avant de s'endormir, il avait besoin de les revivre dans les moindres détails pour s'assurer qu'il n'y avait pas d'erreurs, que son bonheur était réel :

Samedi soir : il est chez lui. Il vient de recevoir son maigre trousseau. Le directeur comptait l'inscrire parmi les internes, le père a refusé parce qu'il n'a pas assez d'argent. Il est donc inscrit comme externe mais on ne trouve pas de chambre à louer. Pour la nourriture, il y aura la gargote. Le père revient à la maison dans l'incertitude. Il faudra peut-être en attendant se résigner à coucher à l'hôtel. Gros frais en perspective. Ramdane est dans l'embarras. Abandonner son fils à lui-même dans une ville ? Se remettre à emprunter pour pouvoir l'entretenir à l'internat ? Le directeur pourtant a beaucoup insisté.

Dimanche matin : La Providence n'abandonne jamais les malheureux. Elle se présente à Fouroulou sous la figure sympathique d'Azir. Azir est un garçon d'Agouni du même âge que lui. Il est élève du collège. Il a entendu parler de Fouroulou et de sa bourse. Il vient le voir à Tizi. Son abord inspire tout de suite la confiance. Il est blond avec des yeux bleus. Sa bouche sourit continuellement d'un de ces larges sourires qui attirent l'amitié. Il a le don de simplifier les choses les plus compliquées.

— Je suis externe, moi aussi, dit-il à Fouroulou, et boursier comme toi. Nous sommes du même pays. J'ai hâte de n'être plus seul. Si tu le veux, nous vivrons ensemble et nous serons amis.

Fouroulou eut envie de l'embrasser. Azir venait au-devant des difficultés. On n'avait pas besoin de l'interrompre ou de le questionner.

— Mon père n'est pas assez riche pour me payer l'internat. Il y a, à Tizi-Ouzou, un missionnaire protestant qui loge les élèves venant de la montagne. J'habite chez lui. Nous sommes une trentaine. J'ai déjà parlé de toi. Nous aurons une chambre, l'électricité, une table, des chaises, deux lits. Le matin, on nous

115

donne du café et du pain. Et tout cela pour rien. La mission se trouve à deux pas du collège.

C'était vraiment incroyable. Azir expliqua qu'un missionnaire est un homme de bien, fait pour aider les pauvres, à peu près dans le genre des Pères Blancs. En plus de tous les services qu'il rendait aux malheureux montagnards, chaque soir, il les réunissait dans une grande salle pour leur parler de religion, les conseiller, les éduquer. C'était admirable. Fouroulou fut très content. Il accepta d'emblée. Il reçut quelques recommandations d'ordre pratique (bagages à emporter, argent, livres) qu'il écouta d'une oreille distraite. Rendez-vous fut pris pour le lendemain matin. Il quitta son nouveau camarade avec regret pour aller achever ses préparatifs et rassurer son père en lui annonçant la bonne nouvelle. Ramdane, à son tour, crut difficilement ce que son fils lui racontait. C'était un miracle ! Dieu venait à leur secours.

Lundi matin : départ précipité pour arriver avant huit heures. En auto *pour la première fois* ! Le jeune homme rêve-t-il ou non ? Entrée au collège avant même de voir M. Lembert, le missionnaire. Fouroulou se sent perdu dans une foule d'élèves. Il ne se reconnaît plus. Il est en costume européen comme les autres. Azir, avant d'entrer, lui a noué soigneusement sa cravate, en connaisseur. Personne ne fait attention à lui, il marche dans l'ombre d'Azir, rougit à chaque instant, sans motif. Il a peur d'ouvrir la bouche. Des garçons lui serrent la main parce qu'ils viennent de serrer celle de son ami. Il salue, lui aussi, en passant devant des professeurs indifférents. Il entre en classe, ouvre comme les autres un cahier pris au hasard dans son cartable, se met machinalement à suivre le cours, imite tous les gestes. Heureusement, on ne s'aperçoit pas de sa présence. Il n'est pas inquiété. Le supplice dure une heure. Il suffoque, il se dit qu'il n'est pas à sa place. Allons donc, l'ex-gardien de troupeau ! Est-ce pour lui cette grande classe aux larges baies vitrées, aux tables neuves et brillantes, toute cette propreté qu'on craindrait de souiller même à distance ? Est-ce bien pour lui cette belle dame qui parle, qui explique, qui interroge avec politesse, qui dit

« vous » à tout le monde ? A-t-il enfin la mine d'un camarade pour tous ces garçons bien vêtus, bien élevés, à l'air si intelligent ? Il lui semble être un intrus dans cette nouvelle société qui l'éblouit. Azir qui n'est pas loin de lui se tourne de temps en temps pour l'encourager d'un sourire. Son cœur déborde de reconnaissance. A la récréation, il commence à se rassurer. Les élèves sont généralement aimables le premier jour. Si ceux des autres classes ne le remarquent même pas, ses nouveaux camarades par contre — quelques-uns d'entre eux tout au moins — mettent une certaine coquetterie à attirer son attention : l'un fait de l'esprit pour le faire rire, un autre explique avec fougue un théorème que tout le monde a compris aussi bien que lui, un troisième déclame comiquement les imprécations de Camille. Menrad est prêt à admirer tous ceux qui le voudront. Il admire tout le monde. Il se voit si obscur, pitoyable, écrasé !

A onze heures, avec son ami, il déjeune à la gargote d'une soupe, d'un plat de pommes de terre avec de la viande et de la salade. C'est un festin ! Mais il goûte à tout du bout des dents ; il n'a pas faim ; son estomac est contracté.

A quatre heures il se rend chez M. Lembert.

M. Lembert est un homme admirable. Sa haute taille légèrement voûtée, sa démarche un peu raide, comme celle d'un officier, la longue barbe qui orne sa belle figure inspirent un respect mêlé de crainte. Il a aussi une voix forte, grave, mesurée. Mais près de lui, quand il vous a regardé de ses yeux pleins de franchise, de douceur, de naïveté, le respect se transforme en confiance absolue. Il s'empare de vous avec simplicité, s'accorde avec assurance le droit et le pouvoir de vous guider. Vous vous laissez faire avec joie. Chaque élève, au collège, sent le poids de ses responsabilités. Quand il fait son petit examen de conscience il se dit que ses parents se sacrifient en payant les frais des études. Le succès ne dépend que des enfants. Le devoir de ces derniers est donc bien clair. Pour les « lembertistes » il n'en est pas ainsi. Le missionnaire endosse tranquillement cette responsabilité à leur place. Ses hôtes n'ont plus qu'un souci : lui donner satisfaction. Et lorsqu'il est satisfait, il est difficile à n'importe quel parent de ne pas l'être. Il est tour à tour un maître sévère, un père attentif, un camarade de jeux pour tous les déracinés qui habitent chez lui. Il fait donc une excellente impression sur Fouroulou.

— C'est toi, Menrad ?

— Oui, Monsieur.

— Non ! il faut dire : oui, chef.

— Oui, chef.

— Azir m'a parlé de toi. Tu habiteras la même chambre que lui. Elle est prête. Tu prendras vite les habitudes de la maison. Ici, on doit bien se conduire. Tu ne fumes pas, j'espère ?

— Non, chef.

— C'est bien. Parle-moi un peu de ta famille.

Menrad parla des siens et de leurs ressources avec assez d'exactitude et le missionnaire comprit tout de suite qu'il avait affaire à un pauvre diable. Un de plus.

— Tu as ta bourse, c'est l'essentiel. Mais pour la garder, il te faut bien travailler. Tous tes camarades travaillent bien. Tu les imiteras. Et puis tu seras scout !

— Oui, chef, répondit Menrad à tout hasard.

— On t'expliquera, tu sauras bientôt ce que c'est.

Menrad avait quitté ce brave homme tout à fait à l'aise, se sentant définitivement incorporé à la grande famille des « lembertistes ». Quel réconfort pour lui ! Dans la même soirée, il avait eu l'occasion de coudoyer plusieurs de ces fameux « scouts ». Ils lui avaient paru particulièrement serviables.

Ainsi, sa première journée était terminée. Avant de s'endormir, il la revoyait tout entière. Il était heureux et il bénissait Dieu. S'il ne pensa pas longuement à son jeune frère, à ses sœurs, à ses parents, il se rappela, toutefois, son ami d'enfance, Akli, qui était resté berger dans la montagne. Alors que lui, Menrad...

La Mission
Lembert VI

LA MISSION Lembert, séparée du collège par la largeur d'une rue, est située en haut de la ville. Elle occupe un terrain carré d'une soixantaine de mètres. A l'un des angles se trouve le logement de la famille. A côté, il y a la salle du culte, une grande salle nue, avec des chaises, une table noire, un harmonium. Les chambres d'élèves occupent tout un côté du carré : six au rez-de-chaussée, six au premier étage. Il y a une cour fermée, un jardin bien entretenu avec un bassin ombragé, deux tonnelles et deux larges bancs. C'est dans cette demeure hospitalière que Menrad et son ami Azir passèrent quatre années ; c'est là qu'ils goûtèrent bien des fois en commun une joie sans mélange, fruit de leur persévérance ; c'est là que se cimenta entre eux une de ces amitiés que le temps ne peut pas détruire parce qu'elle n'a pour objet que la mutuelle estime et la mutuelle compréhension.

Menrad ne tarda pas à perdre le complexe d'infériorité qui lui enlevait tous ses moyens. Quand il s'aperçut que ses camarades n'étaient pas des « phénomènes », il se mit résolument au travail pour acquérir un rang honorable. Il ne tarda pas, tout comme son ami, à passer pour un « bûcheur ». Ni l'un, ni l'autre ne considéraient ce qualificatif comme une injure. Très vite on se le tint pour dit et on les laissa tranquilles.

Tous les dimanches, ils allaient dans la forêt sous la conduite du chef, s'initier aux joies du scoutisme. Menrad s'étonnait que de graves personnes, comme le missionnaire, perdissent leur temps à des choses si puériles. Les bergers de chez lui faisaient donc du scoutisme sans le savoir ? Pour la théorie, la morale, les différents articles de la « loi de l'éclaireur », c'était inattaquable. L'enthousiasme des deux jeunes montagnards diminua beaucoup cependant lorsqu'ils constatèrent qu'un éclaireur, malgré tout, peut être hypocrite, jaloux, menteur. Mais il est vrai que le *chef* était un *éclaireur* au sens le plus noble du mot. Azir et Menrad ne tardèrent pas à subir ces sorties du dimanche comme des corvées. On ne les vit jamais rechercher un grade quelconque ; ils ne s'intéressaient qu'à leur travail de classe. Le chef s'en aperçut. Puisqu'ils donnaient satisfaction par leur conduite il ne pouvait rien exiger de plus.

Ils adoptèrent la même attitude au cours des réunions du soir, à la salle du culte. Ils y allaient régulièrement, lisaient un verset de la bible comme tout le monde, chantaient des cantiques avec application, écoutaient respectueusement le commentaire du chef et revenaient dans leur chambre reprendre sans hésitation leur travail interrompu. On ne les voyait jamais demander un éclaircissement sur un verset quelconque, ni aller au salon se faire expliquer tel ou tel point de religion ou demander au pasteur de prier pour eux. Le missionnaire recevait souvent, avec plaisir, des visites de ce genre plus ou moins sincères. Mais, ces deux garçons, il sentait très bien qu'ils lui échappaient. Leurs deux volontés bien unies n'en formaient qu'une, difficile à apprivoiser. Il n'y avait pas moyen de les séparer. Pourtant, ils n'y mettaient aucune malice. Ils n'avaient aucune aversion pour la religion protestante. Au contraire, à la longue, ils se prirent à l'aimer pour sa simplicité et son indulgence. Ils connurent à fond la Bible et le Nouveau Testament. Ils prenaient plaisir à chanter, même seuls, les cantiques qu'ils avaient appris à la gloire du

120

découvrir le christianisme

Crucifié. Souvent, dans le secret de leur cœur, ils prièrent comme ils avaient vu prier.

Mais seules leurs études avaient de l'importance à leurs yeux. S'ils habitaient chez le missionnaire c'était pour pouvoir mieux travailler. Leur volonté de réussir était farouche, leur fermeté inébranlable. Ils passèrent ainsi, de gaieté de cœur, quatre années (de quinze à dix-neuf ans), leurs années d'adolescence, celles dont dépend, pour chaque homme, sa santé et son bonheur futurs. Pendant le jour, c'était la classe. Le soir, après le culte, ils travaillaient à la lumière électrique jusqu'à dix heures puis allumaient une bougie et ne s'endormaient jamais avant minuit ou une heure du matin. Quelquefois, le muezzin du village kabyle les surprenait devant leur livre lorsqu'il lançait son chant matinal pour la première prière.

Oh ! les longues nuits d'hiver ! Ils s'en souviendront toujours. La maison est plongée dans le silence. Dehors, le vent souffle, la pluie crépite sur le toit. Tout dort. Seule, par les interstices des volets, leur chambre laisse filtrer une faible lueur. C'est la bougie qui brûle. Ils sont assis, enveloppés dans leur burnous, devant les cahiers ouverts, l'un en face de l'autre. Ils ne parlent pas. Ils étudient. Ils luttent contre le sommeil. Leur pauvre cervelle est fatiguée. Ils envient les camarades qui déjà dorment sagement. Mais ils s'obstinent. Pendant quatre ans, ils ne sont jamais allés en classe sans être sûrs d'eux-mêmes, sans savoir à fond tous leurs cours. Plus tard, lorsque Menrad sera à l'Ecole Normale et qu'il ne pourra plus fournir le même effort, il s'apercevra avec stupeur que bien souvent il s'était dépensé inutilement, qu'il avait risqué d'user sa santé.

En plus de cet effort auquel ils s'astreignaient, ils se privaient le plus qu'ils pouvaient. Les livres d'histoire naturelle avaient beau leur parler de calories, de ration d'entretien et de croissance, ils n'en croyaient rien. Ils avaient acheté un réchaud et préparaient leurs repas, eux-mêmes, dans leurs chambres. Des pommes de terre, toujours des pommes de terre ! C'était facile à préparer, bon à manger. Pour Menrad surtout, elles évoquaient de savoureux souvenirs. Mais au bout de deux ans de ce régime, il se brouilla

121

sincèrement avec elles. Quant à Azir, allez lui parler de pommes de terre, si un jour vous faites sa connaissance ! Quelquefois, pour changer, ils prenaient à la hâte, vers onze heures, un repas froid : un demi-pain pour deux, un pot de confiture à soixante-dix centimes et c'est tout. Sur les 180 francs qu'ils touchaient chaque mois, ils en dépensaient chacun 80 et donnaient le reste à leurs parents.

De temps en temps, d'ailleurs, Ramdane et Mohand, le père d'Azir, allaient les voir et passaient la nuit avec eux. Ils se félicitaient tous deux d'avoir des fils si économes et les engageaient à persévérer. Le père Ramdane était très heureux. Tout le monde au village disait du bien de Fouroulou et, vraiment, les études ne coûtaient rien. Cependant, il est juste de dire aussi que l'aide de son fils lui manquait beaucoup. Bientôt Ramdane fut obligé de renoncer à la paire de bœufs pour s'occuper uniquement de ses figuiers et de ses oliviers. Pendant les grandes vacances, lorsque l'étudiant rentrait chez lui, il se croyait obligé de l'entretenir autrement que les bergers : une tasse de café le matin, de la viande de temps en temps, un peu de semoule pour le couscous. La famille s'habituait à ce luxe et les économies s'en allaient. Lorsque le jeune homme se présenta au brevet, il fallut emprunter pour lui acheter un costume et payer ses frais de séjour à Alger. Ramdane hésita longtemps avant de s'adresser à un usurier. Mais quand la chose fut faite, il admit avec facilité les avantages d'une telle transaction qui tire si bien un homme de l'embarras. Il finit par prendre goût à ces emprunts à longue échéance et il se mit à s'endetter au fur et à mesure des besoins. Il en avait assez de lutter. Les temps devenaient de plus en plus difficiles ; il se déchargeait du poids de la famille sur le plus exigeant des créanciers qui, à son tour, au moment voulu, déposerait le fardeau alourdi par ses soins sur les épaules toutes neuves de Fouroulou.

la dette

VII

Tout occupé à ses études, Fouroulou ignorait le drame de sa famille. A seize ans, il avait conscience de jouer son avenir sur des théorèmes de géométrie et des équations d'algèbre alors que ses camarades s'inquiétaient surtout de leur toilette et rêvaient aux jeunes filles.

Fouroulou était susceptible et rancunier. Il en voulait a tous ceux de son village qui refusaient de le prendre au sérieux et qui riaient de la naïveté des Menrad. Au début de sa deuxième année de collège, après une excellente première année, il faillit tout lâcher. La bourse n'avait pas été renouvelée, on ne savait pourquoi. Le directeur attendit un mois, deux mois. Fin décembre, ne voyant rien venir, il avertit les boursiers qui durent s'en retourner dans leurs villages tristement. Ce fut un deuil dans la maison des Menrad. Il n'était plus question de trouver encore de l'argent pour continuer à le maintenir à l'école. Cette pensée n'effleura personne. Ils savaient tous que Fouroulou resterait avec eux, qu'il redeviendrait berger, qu'on lui avait ouvert inconsidérément un espoir et que maintenant il fallait déchanter. Au village, après le Nouvel An, une fois les vacances terminées, on commencerait à s'étonner, puis ce serait les railleries habituelles. Fouroulou, à cette idée, pleurait en cachette, se disait qu'il était déshonoré et qu'il ne pourrait plus se montrer. Pourtant, on ne l'avait pas renvoyé pour incapacité ou mauvaise conduite. Il revenait chez lui parce qu'il n'y avait plus d'argent. Le directeur avait promis d'écrire à l'Académie d'Alger, il avait parlé d'omission, d'oubli, d'erreur. On ne pouvait pas supprimer d'un seul coup toutes les bourses d'un établissement ! Mais comment faire entendre cela aux railleurs ?

Après Noël, Fouroulou passa une affreuse semaine à Tizi. Ceux qui le rencontraient commençaient par lui témoigner une pitié insultante qui le rendait malade. S'il tentait d'expliquer qu'on lui restituerait bientôt sa bourse et qu'il ne restait au village que dans cette attente, on hochait la tête et on lui conseillait de n'y plus songer. Il lui arrivait de se fâcher à en avoir les larmes aux yeux. Alors on riait de lui, on l'insultait.

— Fils de Ramdane, ils t'ont balancé, hein ! Il te reste les chèvres, comme nous tous !

— Mais non, je retournerai à l'école !

— Avec l'argent de l'usurier, peut-être ?

— Qu'est-ce que cela peut te faire ?

— Tu es idiot. Au lieu d'aider ton père, tu vas le ruiner.

Cependant son père lui-même semblait ébranlé et regrettait d'avoir engagé son fils dans une voie si difficile lorsqu'on est pauvre.

Au cours de cette semaine Fouroulou fut terriblement éprouvé. La bêtise sentencieuse des uns l'écœurait, la jalousie des autres le révoltait. Le sort était injuste, les hommes étaient injustes. Tout lui était hostile mais il comprit à la longue que l'hostilité des gens, leur mauvaise joie, leur haine, venait de ce qu'on l'avait pris au sérieux. On l'avait cru capable de réussir, de relever les Menrad. Et maintenant...

Lorsque finalement arriva la lettre qui apportait la bonne nouvelle, il retourna à Tizi-Ouzou le cœur gonflé de joie, avec la farouche résolution de travailler jusqu'à l'épuisement pour réussir. Sa mère parla de porter une offrande à la kouba mais lui savait très bien que l'offrande ne pourrait influer sur son destin. Il se savait seul pour un combat qui lui apparaissait sans merci.

124

A l'âge où ses camarades s'éprenaient d'Elvire, lui, apprenait
« Le lac » seulement pour avoir une bonne note. Mais comme
il débitait son texte d'un ton hargneux, au lieu d'y mettre comme
il se doit la douceur mélancolique d'un cœur sensible et délicat,
le professeur le gourmandait et Fouroulou allait s'asseoir plein
de rancune.

Fouroulou ne savait pas très bien comment le travail acharné
le tirerait de la misère, lui et les siens. Mais il faut lui rendre
cette justice : il ne doutait pas des vertus de l'effort. L'effort méri-
tait salaire et ce salaire, il le recevrait. Lorsqu'il fut admis au
brevet, ses parents et même les gens du village comprirent enfin
qu'il n'avait pas tout à fait perdu son temps. Mais le brevet
offre peu de débouchés. Il faut encore affronter des concours.
Fouroulou rêvait toujours d'entrer à l'Ecole Normale.

Chaque année, aux grandes vacances, il revenait parmi les
siens. Il avait alors le temps d'oublier la ville et la ville l'oubliait.
Il se transformait peu à peu, se laissait reprendre par les camarades, la djema, le café, les travaux des champs, le village tout
entier. Et chaque fois, au 1ᵉʳ octobre, il fallait s'arracher de nouveau à la montagne puis débarquer en paysan parmi des condis-
ciples qui hésitaient à le reconnaître, tout bruni, endurci par les
tâches de l'été.

Fouroulou, pourvu du brevet, retourna donc au collège. Il y
allait pour une dernière année ! Son diplôme lui donnait de l'assurance bien que la situation matérielle de ses parents fût plus
difficile que jamais. Au village, on ne le considérait plus comme
un enfant. Son père, à tout propos demandait son avis ; les
oncles et les cousins l'invitaient aux réunions ; des gens venaient
le consulter ou se faire écrire des lettres difficiles. On lui donnait
de l'importance mais Fouroulou n'en tirait aucune vanité. Il
aurait voulu qu'on le conseillât lui-même, qu'on l'encourageât,
qu'on le soutînt. Il se sentait seul. On lui faisait confiance alors
qu'il aurait aimé faire confiance à quelqu'un, suivre aveuglé-
ment ses conseils, n'avoir à s'occuper que de son programme
d'études. Son père lui avait dit avant son départ :

125

— Va, mon fils, Dieu sera avec toi. Il te montrera le chemin.

Sa mère l'avait embrassé tendrement et souriait avec un orgueil naïf. C'était clair. Les parents ne doutaient plus de rien. Ils étaient sûrs de sa réussite. Leur fils, tout naturellement, réussirait une fois de plus, et ils seraient heureux.

Lui savait très bien que s'il échouait, les portes de l'Ecole Normale seraient à jamais fermées pour lui car il était à la limite d'âge exigée pour le concours. Il aurait encore à travailler seul, dans de mauvaises conditions. Ses parents ne pouvaient savoir qu'en cas d'échec il demanderait à partir en France. Cette idée l'avait hanté tout l'été. En France, il trouverait à s'embaucher en usine comme manœuvre. En Algérie il était pris dans cette alternative : ou devenir instituteur, ce qui signifiait l'aisance pour toute sa famille, ou redevenir berger.

A mesure que les jours passaient, le concours paraissait inaccessible et effrayant. Fouroulou, tout en travaillant, se décourageait. Il se voyait en juin, retournant au village avec ses livres inutiles, son parchemin inutile, accueilli par sa mère en larmes, mais indulgente comme toujours, par son père déçu et misérable. Il imaginait le mépris de tous les autres. Par moment aussi, il se sentait confiant. Il jouait le sort des siens, leur dernière carte. Une semaine avant le grand jour, il se trouvait dans ces dispositions d'esprit. Son père était descendu à la ville pour lui apporter un peu d'argent destiné à assurer ses frais de séjour à Alger. Ils sortirent sur la route nationale et se promenèrent en attendant que passât le camion qui devait reprendre Ramdane.

— Tu vas à Alger, dit celui-ci. Vous serez très nombreux, là-bas. On n'en choisira que quelques-uns. Le choix, c'est toujours le hasard qui le fait. Tu vas à Alger comme tes camarades. Nous, là-haut, nous attendrons. Si tu échoues, tu reviendras à la maison. Dis-toi bien que nous t'aimons. Et puis, ton instruction, on ne te l'enlèvera pas, hein ? Elle est à toi. Maintenant je remonte au village. Ta mère saura que je t'ai parlé. Je dirai que tu n'as pas peur.

— Oui, tu diras là-haut que je n'ai pas peur.